DOUBLES VIES
de Lise Demers
est le trente-huitième ouvrage
publié chez
LANCTÔT ÉDITEUR.

Lise Demers

DOUBLES VIES

roman

LANCTÔT
ÉDITEUR

LANCTÔT ÉDITEUR
1660A, avenue Ducharme
Outremont (Québec)
H2V 1G7
Tél. : (514) 270.6303
Téléc. : (514) 273.9608
Adresse électronique : lanedit@total.net

Illustration de la couverture : Gérard

Maquette de la couverture : Gianni Caccia

Mise en pages : Folio infographie

Distribution :
Prologue
Tél. : (514) 434.0306/1.800.363.2864
Téléc. : (514) 434.2627/1.800.361.8088

Distribution en Europe :
Librairie du Québec
30, rue Gay-Lussac
75005 Paris
France
Téléc. : 43 54 39 15

Nous remercions le Conseil des arts du Canada de l'aide accordée à notre programme de publication. Nous remercions également la SODEC, du ministère de la Culture et des Communications du Québec, de son soutien.

Dépôt légal — 3e trimestre 1997
Bibliothèque nationale du Québec
ISBN 2-89485-042-5

À Micheline Baril et Gabriel Clairet,
Michèle Beaulac, Madeleine Demers
et Noémie Villeneuve.

I

LA LUMIÈRE BLAFARDE DU TABLEAU DE COMMANDE de la cuisinière jetait un froid dans la pièce. Mais c'était sans importance. Lucienne était habituée à cette veilleuse qui donnait à la table et aux angles du comptoir une teinte bleuâtre aseptisée. Les deux mains refermées sur sa tasse, elle regardait machinalement son café noir. Allumer le plafonnier aurait adouci les arêtes et, du même coup, exposé son corps calé sur la chaise mal rembourrée, ce qu'elle ne voulait pas. Si quelqu'un s'amenait, elle avait ainsi une chance de ne pas être remarquée en restant pétrifiée dans la pénombre.

Elle prit une gorgée. Les deux coudes plantés sur la table, la tasse appuyée contre le menton, elle regardait la fenêtre. L'aube n'allait pas tarder à ricocher, étroit filet rose, sur le mur de la station-service d'en face. Les chambres des voisins allaient s'éclairer, la radio à tue-tête de monsieur le sourd lui porterait des informations qu'elle ne voulait pas connaître. La musique s'infiltrerait par les moustiquaires, entremêlée au choc des ustensiles et de la vaisselle, au sifflement criard d'une bouilloire encore oubliée, aux questions et aux ordres criés à répétition. Bientôt, le brouhaha des gestes quotidiens allait l'envahir, déclencher ses réflexes d'épouse et de mère et la rumeur de sa routine se fondrait à la cacophonie ambiante.

Certains jours d'été, cette agitation bruyante l'étourdissait, la poussait à fuir n'importe où. Chez sa sœur Germaine, de préférence. D'autres matins, ce réveil de la vie l'angoissait comme une mauvaise nouvelle dont on attend la confirmation. Alors, rester assise à siroter un café tiède durant mille ans lui paraissait la chose la plus réaliste à faire. Être simplement là, la bouche amère et l'esprit vide, les jambes ankylosées par l'incertitude. Ne plus s'activer d'une insignifiance à l'autre. Rester immobile, inamovible.

Elle soupira. D'un geste brusque, elle repoussa la mèche platine qui lui encombrait la joue. Il était 5 h 10. Sans ce cauchemar, elle dormirait encore. « Toujours ce même maudit rêve », se dit-elle en se servant un autre café couleur d'amertume. Elle eut envie de retourner au lit, de réveiller son mari, de le frapper pour effacer son sourire béat d'enfant gavé. Mais elle n'en fit rien. Il devait encore être trop alourdi par l'alcool. Tout au plus grognerait-il, en se retournant, en exhalant une haleine fétide qui lui donnerait la nausée et le goût de l'assommer.

Elle ferma les yeux. Il y avait si longtemps qu'elle n'avait fait ce rêve qu'elle en était arrivée à l'oublier. À croire sa vie normale. Mais voilà ! Il avait suffi que Fred entre à 2 h du matin, empestant le gros gin, pour que son angoisse s'éveille. Les images de la nuit défilaient dans sa tête, s'insinuaient en transparence sur la table de la cuisine... Deux petites mains potelées enfoncées dans une flaque d'eau froide cerclée d'huile. Des chuchotements. Des mains poussent, en ahanant sur ses bottines brunes. Des voix la pressent de faire vite. Vite et attention. La petite fille — oh ! elle n'a pas cinq ans cette fois-ci — se hisse péniblement hors du soupirail, avance à l'aveuglette dans la ruelle, s'écorche les genoux sur du gravier. Sa robe est mouillée. Les voix sortant de la cave lui disent que ce n'est pas grave, lui demandent si tout va bien. La fillette tend les mains vers le trou noir, puis marche dans la ruelle, tenant fermement un gros sac brun contre sa poitrine. Un sac trop lourd qu'elle a ordre d'aller porter chez Léo Dandurand. Au coin, à demi cachée derrière un amoncellement d'ordures et de poubelles puant la charogne, elle vérifie si la rue est déserte. Elle a peur des rats, d'échapper son trésor, du bruit de ses semelles contre les carcasses de poulet tombées des sacs éventrés. Chaque seconde compte, pèse lourd sur ses bras. La fillette traverse la rue, se faufile sous une galerie surélevée. Juste à temps !

Lucienne but une autre gorgée. Ce préambule, elle le connaissait bien. De quatre à six ans, elle avait si souvent fait la navette entre le soupirail et les galeries des Marcotte, Dandurand et Melançon. Jusqu'à ce que le malheur s'abatte sur elle de façon sournoise. Elle ne pouvait plus passer par le soupirail. Trop grande et grosse pour son âge, malgré les régimes que lui imposait le clan. Elle avait alors été obligée de fréquenter assidûment l'école. C'était ça, l'important, pour sa mère, « plus important que son travail de passeur », disait-elle. Mais Lucienne n'en croyait rien. Marcher aller-retour à l'école ne lui procurait aucune excitation. Cela lui paraissait plutôt le début d'une longue punition. Elle n'était plus essentielle à la famille, malgré la vaisselle à faire, les draps à changer (pas à laver, c'était à Florence d'y voir). Elle se sentait exclue du clan et n'avait plus la satisfaction profonde de son utilité.

Non, à bien y penser, cette portion d'histoire ne pouvait pas la mettre en émoi. Elle savait que ce n'était pas la peur des rats qui l'avait éveillée en sueur. Mais quelque chose d'autre, que l'odeur de gros gin avait ravivé dans sa mémoire. Un indice tapi dans la suite du rêve ?... La fillette vient de déposer le sac par terre. Les phares d'une auto balaient la balustrade. Des portières claquent à grands cris de « Par ici ! » Elle entend détaler des pas d'hommes à la chasse. Une autre voiture s'arrête. « Il a pris par la rue principale », crie-t-on. Le crissement des semelles résonne dans la nuit. La fillette tremble en voyant les inconnus descendre vers sa cachette. Elle sent la présence de quelqu'un. Un homme. Pas Léo Dandurand, elle le jurerait à l'odeur. Il lui fait signe de se taire. Elle ne distingue pas son visage, mais respire le parfum de son savon. Elle veut crier, mais l'homme lui met la main sur la bouche, la tient fort contre lui, contre le sac brun qui lui entre maintenant dans les côtes. Elle étouffe, hoquette. « Qui va là ? » demande une voix enragée. Quelque part, un chien s'époumone à japper. « Allez, sortez les mains en l'air. » Un policier s'avance dans la rue. Un faisceau de lumière jaillit, fouille la galerie des Melançon. L'homme la serre encore plus fort, retenant sa respiration. « Wilfrid, ramène-toi, commande une voix du bout de la rue. C'est à l'hôtel qu'il est. » La fillette voit le policier hésiter. Il lui a semblé entendre un faible bruit, peut-être une plainte, et en grognant, il escalade le talus puis se penche, éclairant un désordre inouï de pneus, de gallons de peinture, de râteaux et d'outillage rouillé. La corde de bois n'offre aucune cachette. Déçu, il rebrousse chemin en hurlant : « J'arrive ! » Pourtant, il aurait juré avoir entendu une plainte.

Le bruit des ombres s'estompe. Des bruits retentissent au loin. Un coup de feu la paralyse. La fillette se retient de hurler. L'homme, le visage dans le noir, lui remet une enveloppe qu'elle glisse dans sa culotte. Il attend à ses côtés, aux aguets, puis la pousse doucement dans la rue. Elle court. Ses semelles font rouler le gravier. Un gros rat lui barre l'entrée du soupirail. Elle tape du pied. Et se réveille. La gorge nouée, la peur humide et froide collée à son corps.

Lucienne se souvenait d'être arrivée un soir à la maison au moment où l'autopatrouille débouchait dans l'entrée. En vitesse, Germaine lui avait ôté sa robe, mis son pyjama et donné son restant de chocolat chaud trop amer. Dans le vestibule, sa mère et ses sœurs s'énervaient. Le père venait d'être arrêté, lui et ses comparses trop ivres et fanfarons pour fuir avant l'arrivée de la police. Seule Germaine s'inquiétait de son sort. Avait-elle eu froid ? Tout s'était-il bien passé ? L'enveloppe encore dissimulée dans sa culotte, Lucienne s'était endormie d'épuisement sur un gros coussin posé sur le tapis, sur la trappe menant à la cave. Au milieu des questions des policiers. La mère les avait persuadés de ne pas la réveiller, par pitié, et ils avaient quitté la maison sans rien découvrir.

Elle avala une autre gorgée de café. Elle ne parvenait pas à faire le lien entre les odeurs de savon et de gros gin. Pire que tout, elle s'était éveillée avec le sentiment que son cri aurait pu sauver son père. Sentiment oppressant qui puisait son intensité dans le magma des années noires et qui remontait, à intervalles réguliers, comme un bulle sulfureuse éclate à la surface d'un lac de lave. L'habitude du cauchemar ne diminuait en rien son angoisse. Elle sentit la colère la submerger. Rien ne serait arrivé si Alfred n'était pas rentré dans cet état. Il ne buvait pas d'ordinaire. Alors quoi, se demanda-t-elle, furieuse, et avec qui ?

Elle regagna la chambre. Alfred ronflait. Elle le poussa. Il grogna. Le repoussa. « Tu ronfles, imbécile. Tu m'empêches de dormir », lui dit-elle en le secouant. Mais Alfred grommela, se retourna en chassant de la main d'invisibles mouches. À cet instant, elle aurait pu le tuer et cette émotion sauvage la fit reculer. Elle se réfugia au salon, fouilla dans un tiroir et s'alluma une cigarette. Les volutes bleutées s'entortillaient, s'effilochaient, et Lucienne tentait d'en saisir les formes mouvantes comme autant de possibilités d'action. Il lui fallait prendre une décision avant d'éteindre son mégot. Ce rituel paraissait idiot, elle le savait, mais il l'avait toujours bien servie. Elle et sa famille.

Durant les années noires, elle avait dû voir sa mère griller ainsi une bonne vingtaine de cigarettes. Les yeux mi-clos, concentrée, elle réfléchissait. Autour d'elle, ses quatre filles patientaient. Le temps suspendu devenait aussi intenable et palpable que leur tension. Enfin, la mère écrasait fermement sa cigarette et sa voix, grave, quasi inaudible, tranchait le silence : « Dans deux heures, il faut avoir quitté les lieux. Toi, Florence, tu t'occupes de la cuisine, Germaine, du salon et des affaires de la petite. N'oubliez pas. On n'apporte que l'essentiel et les livres d'école en font partie. Le superflu s'achète toujours. » Le soir de la quatrième arrestation du père, elle avait dit à l'aînée : « Armande, viens m'aider à démonter l'alambic. Ce sera notre gagne-pain désormais. »

À chaque départ, la maison résonnait de sanglots étouffés, de papiers déchirés, de jouets fracassés, de vêtements déchiquetés, de coups heurtés. Le clan pratiquait la politique de la terre brûlée. Rien, mais rien d'identifiable ne devait tomber dans les mains d'autrui. C'était sacré. Si douloureusement insupportable qu'une fois réinstallée, la famille prenait son temps avant d'acheter d'autres « frivolités ». Parfois, le temps manquait et la famille quittait précipitamment un endroit où même la poussière n'avait pas eu le temps de se poser.

□

Son cauchemar semblait avoir ravivé le souvenir obsédant de leur dernière fuite. Elle songeait à Armande, l'aînée, qu'elle n'avait plus jamais revue. Armande qui avait appris le métier avec la mère et dont l'audace avait déchiré le clan. La famille habitait alors depuis près de deux ans une ferme isolée à la sortie de Rigaud. Florence travaillait les fins de semaine à l'Hôtel Central, Germaine terminait sa neuvième année et elle, Lucienne, sa huitième. Les deux avaient pris bien du retard, malgré l'enseignement de leur mère. Cet hiver-là, au dire des cultivateurs, était le plus rigoureux du siècle. Mais ce dont Lucienne se souvenait, c'était de la chaleur de la maison, du train-train rassurant que leur procurait leur commerce illicite. Les affaires marchaient bien. La clientèle, fidèle et discrète, leur témoignait du respect à la messe du dimanche. On les saluait poliment, sans l'ombre d'un sous-entendu. Les hommes se découvraient en croisant la mère sur les marches du parvis. Les filles en étaient presque arrivées à croire qu'elles étaient du pays. Surtout Lucienne qui, pour la première fois, s'était liée d'amitié avec une camarade de classe. Amitié singulière, car Marie ne pouvait venir à la maison, sécurité oblige. Mais amitié tout de même et premier pas hors du giron.

Cette douceur de vivre n'endormait pas la mère. À son habitude, elle se postait devant la fenêtre du salon ou sur le balcon, l'été, l'œil vigilant. Tous les jours, solide et silencieuse, elle scrutait l'horizon, insensible, croyaient les filles, à leurs aspirations. Elle épiait les bruits et les mouvements. Elle savait différencier les cris de l'engoulevent des chants du chardonneret ou de la mésange. Les *couwâcs* aigus des jeunes corbeaux n'étaient jamais l'écho lointain d'un frottement de chaîne de bicyclette, ni les coups de feu des chasseurs une pétarade d'auto mal en point. Le roulement précipité des mottes de terre la figeait s'il n'était suivi d'un bruissement de feuilles et d'un craquement de branches fines sous les pattes des lièvres.

La mère restait à l'affût du bruit des hommes et s'alarmait des éclats de voix d'Armande qui annonçaient l'orage avec autant de précision que les nuages sombres groupés au bout du champ. Elle était « sous influence », se disait-elle, aussi incapable de détourner Armande de ses projets que le mauvais temps de sa maison. Leurs disputes s'intensifiaient, montaient maintenant de la cave au rez-de-chaussée. « Lucien Jodoin ne mettra pas les pieds ici. Il y va de notre sécurité à toutes », affirmait la mère en ajoutant qu'elle ne s'opposait pas à leur fréquentation. Armande pouvait aller danser le samedi soir, pique-niquer avec lui après la messe du dimanche, son jour de congé. Mais l'amener à la maison ? Jamais. Décision ferme que tentait de faire changer Armande. Son Lucien l'aimait, disait-elle. Il était un homme de parole et saurait garder silence. Mais la mère n'en démordait pas. Quand bien même tout le canton savait, tant que personne ne verrait de ses yeux l'installation, cela ne resterait que des rumeurs.

Puis, un soir de février, Florence était arrivée en criant nerveusement : « Maman, j'ai à vous parler, venez vite. » Le clan s'était réuni dans la cuisine. Comme Florence n'était pas une hystérique, son énervement les avait affolées. Reprenant son souffle, Florence avait raconté qu'un étranger, logeant à l'hôtel depuis quelques jours, enquêtait sur Hector Beaudette, Auguste Fisette et Adrien Pichette. La nouvelle était tombée avec fracas.

— C'est peut-être une coïncidence, avança timidement Florence.

— Une coïncidence qui coïncide parfaitement n'est jamais une coïncidence, répondit sentencieusement la mère, avant de lui demander si elle avait parlé à cet homme.

— Non. C'est Roland Robidoux qui m'a tout rapporté…

— Robidoux ! s'écria Armande. Ce soûlon de cochon ? Mais comment peut-on croire ce bonhomme-là ? Il n'y a pas à s'inquiéter. Il dit n'importe quoi.

— Au contraire, reprit la mère flairant le danger. Comme il est souvent ivre, il n'a pu inventer ces noms-là.

— Il dit que l'étranger les recherche pour dettes. Mais il pense que c'est faux, qu'ils auraient commis quelque chose de plus grave. Et puis, il n'était pas encore si ivre quand il m'a parlé. Chose certaine, il n'a pas été question de filles. Alors, c'est peut-être un hasard...

— Avec la police montée? Non, mes filles. Quand ces gars-là s'en mêlent, le hasard est aussi cuit que le lapin de ce soir.

— Mais des Pichette, Fisette et Beaudette, ce ne sont pas des noms rares. La preuve, c'est qu'on les a tous portés, dit naïvement Lucienne.

— Tout juste et c'est ça qui est inquiétant. Et qu'ils se prénomment comme vos oncles, c'est encore plus inquiétant.

— Cette idée aussi de toujours prendre des noms en « ette », maugréa Armande.

— La police enquête sur des gens, Armande, pas sur des terminaisons. Et laissez-moi vous rappeler qu'enfants, cela vous amusait drôlement ces noms qui rimaient avec le Petit Poucet.

Les filles esquissèrent un sourire. Oui, ça sonnait comme le Petit « Poucette », mais jamais elles n'auraient osé semer des cailloux.

— Dieu merci, maintenant on s'appelle Lalonde. Cela devrait nous mettre à l'abri.

— Rien ne nous met à l'abri, Lucienne. Aujourd'hui encore moins qu'hier, alors que les affaires sont bonnes. Et les bonnes affaires suscitent la jalousie, attirent les coups de Jarnac et la concurrence déloyale. Sans compter que les agents ne dorment jamais, vous le savez bien.

— Oh que si ! On a assez payé pour le savoir, s'écria Armande. Avec la vie de romanichel qu'on a eue, de hors-la-loi, poursuivit-elle avec hargne. Une vie de misère sans même profiter du magot que vous avez accumulé.

Elles sursautèrent. L'orage déversait son plein de rancœur, songea tristement la mère. Elle se sentit tout à coup fatiguée.

— Quel magot ? s'écria Florence.

— Celui que cache la mère sous son lit.

— On a de l'argent, c'est vrai ça, maman ?

— Ben, Lucienne, réveille ! avait rétorqué sèchement Armande. À quoi te sert d'aller à l'école si tu n'arrives pas à comprendre le principe de l'addition. Quand la mère parle de bonnes affaires et nous, de vie misérable, ça veut dire quoi, tu penses ?

Lucienne s'était fâchée contre Armande alors que la mère, ébranlée, avait gardé silence. La foudre venait de frapper l'arbre le plus fort, se disait-elle, lui causer une zébrure peut-être mortelle. Jamais le clan ne l'avait vue dans un tel état. Les filles la regardaient, incrédules et choquées, autant par l'impertinence d'Armande que par l'idée d'une fortune cachée. Cela les effraya. Souveraine, la mère s'était levée. Un arbre foudroyé meurt-il sur le coup ?

— C'est ça, allez chercher vos cigarettes, ronchonna Armande. Mais avant d'imposer votre décision, parlez-nous donc de cet argent. Vous voulez que j'aille le chercher ?

La mère ouvrit le tiroir de la commode et en sortit son étui à cigarettes. D'un pas lourd, elle revint s'asseoir à la table, en interdisant froidement à Armande d'aller fouiner dans ses affaires.

— Il n'y a pas de magot et tu le sais bien. Quand on fait dans la distillerie clandestine, on a de l'argent, c'est vrai. De la liquidité pour faire face à l'inévitable.

— Et cela se chiffre à combien ?

— Cela ne te regarde pas.

— Ah non ? J'ai toujours travaillé, moi, alors que les autres se pavanaient à l'école. Et cela ne me regarde pas ?

— Non. Tu reçois un salaire que tu peux dépenser à ta guise…

— Voyons... combien ?

— Armande, ne m'oblige pas à faire des gestes regrettables.

— Nous ne sommes plus des enfants. Regardez autour de vous, maman. Ouvrez les yeux.

La mère les voyait la dévisager, une lueur d'avidité au fond du regard. Une sorte de défiance aussi qui lui donnait le sentiment d'avoir mal agi. Avait-elle sous-estimé leurs forces et leurs faiblesses ? Un étranger rôdait dans la région, Lucien Jodoin tournait autour de sa fille et devant elle, affamées, la bouche ouverte comme des oisillons, ses filles attendaient la pâtée, inconscientes du danger.

— Il n'y a pas de magot, dit-elle calmement. Mais j'ai amassé de l'argent pour nous assurer une grande sécurité, parer aux coups durs, payer votre dot, les frais médicaux, le camion essentiel à notre survie.

Elle avait fait une pause avant de mentionner, en murmurant, la somme approximative de quinze mille dollars. Les filles en étaient estomaquées. Une fortune ! La mère lisait la stupeur dans leurs yeux, suivait le cours de leurs émotions. Tant de privations et d'amitiés avortées, pensaient-elles. Tant d'angoisses nouées la nuit à guetter le moindre bruit. Tant d'objets aimés, abandonnés et piétinés dans la panique des sauve-qui-peut. Tant de misère, alors qu'elle amassait, en secret, l'argent de leur peur. Le prix de leur silence. Dix années à vivre dangereusement dans l'ombre de la clandestinité, sous sa coupe, le plus souvent isolées de la vie courante, dans la honte de leur illégalité. Les récentes colères d'Armande prenaient une dimension insoupçonnée.

— Mais oui, les sœurs. Il y a longtemps que notre mère aurait pu vous acheter de beaux vêtements, vous offrir ces petits riens élégants qui vous auraient placées sur la liste des filles à marier. Mais non ! Elle préférait empocher l'argent, pour notre plus grand bien.

— Vous vous croyez lésées parce que je ne vous ai pas affublées d'atours ? Que vous n'êtes pas des appâts pour les hommes plus en mal d'argent que d'amour ? C'est ça ?

Les filles réfléchissaient. Armande ruminait. La mère avait retourné la situation à son avantage. Germaine, qui n'avait pas encore dit un mot, mit les choses au clair.

— Quinze mille dollars en dix ans, dans les conditions que nous connaissons et devant le danger qui nous menace encore, c'est bien peu. Mais davantage que les dix sous qu'on posséderait, si maman n'avait pas été vigilante. Tu sais travailler, Armande, mais tu ne connais rien à l'argent, rien à rien, hormis ton Lucien Jodoin.

L'aînée allait répliquer quand la mère s'alluma une cigarette, amorçant un rituel qui leur commandait le silence. La mère suivait des yeux les arabesques et les torsades vaporeuses s'allongeant jusqu'au plafond. Son geste calme, détaché de la tempête, les impressionnait. La valse lancinante de la fumée faisait resurgir, au ralenti, leurs désirs inassouvis, leurs objets aimés irremplaçables, délaissés au fil des ans, aussi éphémères et délestés d'histoire que leurs noms. Elles revoyaient ces nuits froides où elles s'endormaient autour de la chaudière si usée qu'elle crachotait plus de boucane que de chaleur.

Avec le mégot prendrait fin la quiétude de leur apparente vie normale. Un abîme intolérable se profilait, leur donnait le vertige. Dans le respect du cérémonial, la mère écrasa avec fermeté sa cigarette.

— La situation est alarmante, dit-elle gravement. Les économies ne doivent pas nous faire oublier l'enquêteur. Mais les choses ont changé. Vous avez vieilli. Armande est majeure, Florence le sera sous peu. Par conséquent, je vous laisse toutes les deux libres d'accepter ou pas ma décision. Nous devons cependant partir, le plus naturellement possible, après-demain. Il me faut votre réponse d'ici une heure.

Le soir même, l'alambic fut démoli. Rien ne devait subsister en son état, ni chaudière, ni serpentins, ni cuve, ni pipettes. Les cris sauvages des filles et leurs rires sonores dominaient le vacarme. Avec ardeur et rage, elles avaient tapé, cogné, fessé sur chaque pièce de l'alambic, perforé au chalumeau le métal de la chaudière, cassé en fins tessons les instruments en verre. Tout détruit, comme des chaînes à briser. Dans la nuit, pendant que Germaine et Lucienne préparaient un gâteau, les autres avaient éparpillé les morceaux dans la forêt à la frontière de l'Ontario. Elles avaient enfoncé les débris dans la neige, puis balayé les traces de pneus en laissant traîner des couvertures, assises à l'arrière du camion. À leur retour, l'illusion d'une nuit de Noël émouvante et mélancolique était parfaite.

Le lendemain, au petit déjeuner, Lucienne avait lancé un joyeux: « Qu'il vienne, l'inspecteur! » auquel avait répondu tout doucement la mère: « À la condition que ce soit un inspecteur. »

— Ben, qui d'autre cela pourrait être?

Les sœurs attendaient la réponse qu'elles auraient préféré ne pas entendre: « Un homme de main à la solde de mon voyou de mari, à la recherche du magot, comme vous dites. » Le spectre du père refaisait surface. Impitoyable, le passé remontait, opaque.

Lucienne s'alluma une autre cigarette. Cela allait à l'encontre du rituel et sa mère aurait rouspété de la voir agir ainsi. Une fois la décision prise, on ne la change pas impunément, lui aurait-elle fait remarquer. Mais Lucienne s'en fichait. Elle fumait pour le plaisir de voir les enchevêtrements de la fumée, la métamorphose des formes en mouvement, les feintes de la transparence. Elle avait tellement appris à simuler, à piétiner ses espoirs et à camoufler son identité qu'elle avait souvent du mal à suivre les sinuosités de sa pensée. Elle n'avait jamais bien su de qui, du père ou de la « police montée », elles se sauvaient. Peut-être y avait-il trop de gens à l'orée de leur monde clos ? Sans conviction, elle se promit d'en parler à Germaine. Ces années noires l'intéressaient peu. N'avait-elle pas enterré cette part de sa vie en dansant autour de l'alambic en ruine ?

Les jours suivants appartenaient déjà aux années de liberté. Lucienne et Germaine avaient remis à la direction de l'école une lettre annonçant leur départ. Un héritage inattendu forçait la famille à déménager. Florence avait demandé son congé. Seule Armande restait, par amour. Son Lucien était venu à la maison le jour de leur départ. Armande pleurait dans les bras de Lucien, en faisant des adieux poignants et mensongers. « À bientôt », disait-elle en les serrant dans ses bras. Elle connaissait la consigne, l'avait acceptée. La politique de la terre brûlée s'appliquait aussi aux humains. C'était la grande loi de la survie du clan. Lucien l'avait officiellement demandée en mariage. Il lui apporterait la respectabilité ; elle, une dot chèrement gagnée. Pour la famille, une nouvelle étape commençait.

Le camion *pick-up* avait démarré lentement à 8 h du matin. La mère avait reculé puis tourné dans l'allée. Toutes les quatre étaient si à l'étroit dans la cabine, Florence sur les genoux de Lucienne et Germaine au centre, qu'elles n'avaient pu se retourner pour regarder la maison. La mère, par le rétroviseur, voyait les derniers signes d'Armande, mais n'en souffla mot. Elle détourna vite le regard vers l'étroit passage creusé dans la neige épaisse.

Les filles réprimaient leurs émotions. Elles fixaient droit devant l'horizon encadré par le pare-brise, la route qui s'ouvrait avec, par moments, des percées à droite et à gauche sur la plaine et l'ossature grise des érables. Pour la première fois, elles fuyaient en plein jour, mais sans davantage connaître leur destination. Elles tanguaient en silence, sous les rafales du vent. Le cœur chaviré, elles craignaient d'être arrêtées par la police ou d'avoir un accident. L'insupportable angoisse des nuits anciennes à fuir en cachette collait à leur espoir de trouver une vie normale.

La mère annonça qu'elle devait faire un court arrêt chez Ludger. Sa voix était enrouée, son visage, soucieux. Rien pour rassurer les filles. Le camion bifurqua, longea le village. « Voilà les trois épinettes croches », dit-elle en ralentissant. Elle tourna dans une longue allée récemment taillée dans la forêt. Au bout, s'élevait la maison neuve de Ludger-le-Phoque, le plus gros contrebandier de la région. Leur meilleur client. La mère, laissant tourner le moteur, sauta à la rencontre du Ludger déjà dans l'escalier du balcon, la bedaine à l'air, protégé du froid par l'épaisseur de sa graisse. Il se mit à gesticuler, l'air contrarié, et l'invita à entrer.

Sorties pour se dégourdir les jambes, les filles captaient certains mots par la porte entrebâillée. Il était troublé, le Ludger, par le départ précipité de la mère.

Puis déçu. Maintenant en colère. Il l'aurait acheté, lui, l'alambic. C'était folie d'avoir détruit une si belle installation, alors qu'il aurait facilement trouvé acheteur. Il ne comprenait pas sa décision. Tout allait si bien. Son alcool était le meilleur, les Américains en redemandaient et nul signe ne présageait une descente de la police. Il se retenait de lui dire qu'un homme n'aurait jamais agi de la sorte. Il lui en voulait de ce départ impromptu, alors qu'il avait des livraisons à faire, des contrats à respecter. Mais il se calma à l'annonce des deux derniers barils, là, sous la bâche.

Ludger claqua des doigts et ses deux matamores de fils firent irruption. Sur son ordre, ils se dirigèrent avec nonchalance vers le camion, jetant un regard de biais aux filles, détachèrent la toile et déchargèrent les barils en douceur vers le garage. Les filles clignaient des yeux. Ils faisaient les costauds, mais leurs biceps n'en imposaient guère à celles qui avaient roulé les barils jusque dans le camion. Les gars rattachèrent solidement la toile et disparurent dans la maison, alors que la mère rangeait précieusement un papier dans son sac à main. Ludger la raccompagna et salua d'un baise-main sonore chacune des filles. Il avait des manières, le Ludger. Il n'était pas premier marguillier et syndic pour rien ! « Bonne route et soyez prudentes », leur recommanda-t-il, en ajoutant, narquois : « Dommage, de si beaux brins de filles. » La mère lui rendit son sourire et se mit en route.

Une fois à l'abri des regards, la mère éclata de rire. Tant qu'elle stoppa, riant et pleurant, riant d'un rire limpide de jeunesse. Les filles ne l'avaient jamais entendue ainsi. Elle sortit de son sac le papier que lui avait remis Ludger-le-Phoque. Frondeuse, elle leur avait annoncé : « Ça, les enfants, c'est notre avenir. Notre passeport vers une nouvelle vie. Ma recette de gin supérieur et deux barils de ma meilleure eau-de-vie contre de nouveaux extraits de baptême. Un marché honnête, non ? » Elle exultait. Les filles jubilaient à en avoir des crampes. L'espoir d'une existence sereine et légale explosait en cascade dans la cabine du camion. La mère redémarra. « Direction : Montréal », dit-elle. Les filles en avaient hurlé de joie.

Le camion roulait lentement. La famille faisait plus de poids que toutes les boîtes et les valises dissimulées sous la bâche bien arrimée à l'arrière et qu'aucun meuble ne bosselait. Les curieux ne pouvaient penser qu'il s'agissait d'un déménagement. Pourtant, elles avaient scrupuleusement emballé tous leurs effets personnels. Malgré cela, le camion était si léger qu'il prenait le vent et frôlait dangereusement les murs de neige. La perspective de vivre désormais ouvertement les enivrait et, d'un commun accord, elles décidèrent de conserver le nom de Lalonde, tel un porte-bonheur.

La mère fit halte à Dorion. Hésitantes, les filles n'osaient descendre, mais elle les avait invitées à faire comme si elles étaient en vacances. Dans le restaurant, à l'écart et à voix basse, elles avaient échangé leurs commentaires en ricanant.

— Ça va pas ? C'est pourtant bien des *hot chicken* que vous avez commandés, avec un supplément de patates, déclara la serveuse devant leur air étonné.

— Oui, oui. Tout va bien, s'empressa de dire la mère. Disons qu'on est surprises d'avoir autant de sauce brune.

— Ben... C'est comme ça.

La serveuse haussa les épaules. Les filles l'entendirent ronchonner :

— Du *hot chicken* sans *gravy*. Dieu qu'y a du monde qui sortent pas souvent. Y connaissent rien.

Le clan mangea, le rire au ventre. La grosse *gravy* brune, c'était comme la liberté. Il fallait d'abord y goûter pour en apprécier la saveur.

Le trajet entre Dorion et Montréal leur parut court, en dépit des deux heures que mit la mère à le faire. Elle roulait à la vitesse réglementaire pour ne pas attirer l'attention des patrouilles, avec la prudence d'une contrebandière en cavale sans permis de conduire. Les filles chantaient et surveillaient la route. Elle se sentaient invincibles dans l'espace clos de la cabine. D'abord timidement, puis avec plus d'assurance, elles se mirent à imaginer leur nouvelle vie, à délier les rêves que leur clandestinité bâillonnait, des rêves ordinaires, semblables à ceux de toutes les jeunes filles. Florence parlait de se marier avec un garçon éduqué, ayant une situation stable, qui l'amènerait danser, la comblerait d'attentions et de cadeaux. Un gars fiable. Pas un buveur. Germaine voulait étudier et travailler. Voyager aussi. Elle préférait rester vieille fille plutôt que d'avoir à marchander sa vie. Elle ne voulait pas demander de permission à quiconque, comme la mère. « Si maman n'avait pas pris les choses en mains, c'est à l'assistance publique ou dans un foyer que nous aurions abouti. Séparément. »

La mère n'avait pas réagi à son commentaire. Elle s'attachait à suivre la route qui les menait vers la fin de leur itinérance. Elle essayait de débusquer des indices, l'air préoccupé de celle qui sait que demain le combat reprendra. Elle ne parvenait pas à céder aux charmes de la quiétude, depuis le jour où elle avait quitté son mari, avec les enfants et l'alambic. Pour survivre et échapper aux recherches, il lui avait fallu se constituer un réseau sûr. Les hommes de son mari, petits truands et contrebandiers, étaient aussi peu fiables que lui. Des musclés à la cervelle imbibée d'alcool, bavards comme des pies en amour et fanfarons jusqu'à la stupidité. Durant les premières années, devant leurs frasques, leurs vantardises et leurs commérages, elle avait vécu sur le qui-vive, fuyant à la moindre alerte. Plus de trois ans à se cacher, avec l'aide de son frère Hector, dans des granges, à se terrer dans des réduits ou des sous-sols infestés de bestioles, à camper dans des hangars à moitié éventrés. À geler, à avoir faim, au bout de ses provisions, à faire ravaler aux enfants leurs pleurs et leurs frayeurs, à leur enseigner les matières scolaires, à démonter et remonter l'alambic, à mesurer les ingrédients avec parcimonie et à ennoblir son produit. Trois années héroïques à semer son mari et ses anciens complices, à établir, patiemment, un réseau efficace dont la rentabilité la mettait progressivement à l'abri des mouchards et des fainéants. À s'imposer à des hommes âpres au gain, jusqu'à se faire respecter et protéger. Elle aurait pu monter une véritable industrie. Prohibition ou pas, l'alcool coulerait toujours et partout, il se trouverait des tenanciers avides, prêts à transvider dans des bouteilles chics et chères son alcool frelaté.

Elle était riche et aux abois. Elle ignorait comment réorganiser sa vie. Elle ne savait que fabriquer la bagosse, la meilleure du pays. L'idée que l'homme de Rigaud soit à la solde de son mari la hantait. Tant qu'elle vivrait, tant qu'il vivrait, il lui faudrait assurer l'avenir du clan. La destruction de l'alambic était, elle en convenait, une folie qui risquait de lui coûter cher. Elle avait affaibli le réseau et, du coup, la protection qu'elle en tirait. Une erreur réparable ? La mère approchait de Montréal. Son univers s'effondrait alors que s'ouvrait celui de ses filles.

Elle les écoutait distraitement. Florence voulait se marier, Germaine, étudier, et Lucienne ? À quoi aspirait sa benjamine ? Lucienne ne le savait pas. Ses sœurs insistaient pour qu'elle réponde.

— Il doit bien y avoir quelque chose que tu souhaites le plus au monde ? lui avait demandé Germaine.

— Oui, ne plus jamais être jetée hors de ma maison. Vivre une vie rangée et respectable.

Ses sœurs avaient ri. Elle était si sage et dépourvue de fantaisie. Mais la mère décelait là matière à s'inquiéter. Sa Lucienne, elle était de l'étoffe des volcans, secrète et imprévisible. Une placidité de surface sur un cœur en ébullition. Le chaînon le plus petit du clan, avait-elle toujours pensé, mais aussi froid et dur que le basalte. Dans la cabine étouffante, Lucienne n'avait pas avoué qu'elle entendait retrouver l'oncle Hector.

Le camion entra à Montréal. Les yeux arrondis, les filles découvraient des maisons collées les unes aux autres, sans jardin, en briques rouges ou en pierres grises. Des maisons cousues d'escaliers en fer forgé aux courbes dangereusement glissantes. La mère aperçut une enfilade de commerces, se stationna et, d'un air moqueur, les mit en garde:

— Avant d'être honnêtes, il nous faut de faux papiers, n'oubliez pas!

Elles avaient ri. Lucienne ne se rappelait pas avoir autant vu rire sa mère que cette journée-là. Florence était allée acheter tous les journaux et la famille avait épluché les annonces dans un restaurant, en mangeant une tarte à la farlouche. Vers 17 h, le clan emménageait dans un logement du quartier Saint-Henri. Elles avaient dormi ensemble, en faisant un matelas de leurs vêtements. Ce n'était pas l'idéal, mais mieux que la paille des granges où elles avaient déjà vécu. Avant de s'endormir, Florence avait fait le tour des pièces. «Je n'arrive pas à croire que nous n'avons plus l'alambic», avait-elle dit, comme s'il lui manquait cruellement. Le lendemain, le propriétaire d'un magasin de meubles usagés, sur la rue Notre-Dame, avait vu entrer quatre excitées désirant tout acheter.

□

Lucienne haussa les épaules. Ces souvenirs n'aboutissaient à rien, ne révélaient aucun élément lui permettant de diagnostiquer son malaise. Ni d'établir qui sentait le savon parfumé et quel rôle elle avait tenu le soir de l'arrestation du père. Elle sentit de nouveau sourdre en elle la colère. Non, elle n'allait pas se livrer à d'obscures introspections. Ni faire de bilans. C'était bon pour les moralisateurs parés de conseils sublimes rarement nettoyés à sec. Ou pour les rêveurs comme son Alfred, toujours enclins à mesurer la distance qui les sépare de leurs aspirations utopiques ou de leurs fantaisies puériles, toutes choses qu'elle n'avait pas. Quand, à cinq ans, on a été passeur d'alcool frelaté, il n'y a pas de place pour le rêve et la morale. La peur collée aux bottines, la nuit, occupe tout l'espace. Avec exaltation.

Elle remit les cigarettes dans le tiroir de la table d'appoint. Une aube grise s'aventurait, retenue par des nuages sans coutures. La journée s'annonçait longue et pesante. Elle se dépêcha. Dans la cuisine, l'odeur de ses rôties aiguisa son envie de mordre dans une tartine aux framboises imprégnée de jus. Elle s'empiffra, avant le lever des enfants. « Passe encore qu'il ait une maîtresse, se dit-elle, mais il ne va pas empuantir mes nuits d'alcool. » La rôtie fondait sous sa langue, libérait son sourire. Elle avait deux choses essentielles à faire aujourd'hui. L'une, mesurer l'attachement d'Alfred à son confort conjugal, l'autre, obtenir de Germaine un rendez-vous avec la mère.

II

Les roses rouges miniatures sur fond de lin écru égayaient la table de la cuisine. Lucienne y déposa quatre couverts avec précaution, comme si elle craignait d'abîmer les pétales brodés de la nappe ou de les trop camoufler par l'ajout inutile d'ustensiles. L'ensemble lui plaisait. Les fleurs s'épanouissaient sans vulgarité et les demi-pamplemousses, couchés dans leur corolle de cristal, exposaient leur chair rose et juteuse comme un matin d'été précoce. À la radio, une voix chaude diffusait en sourdine les nouvelles de l'heure, assorties de bavardages et de chansonnettes. Les bruits des voisins se heurtaient à la fenêtre qu'elle avait expressément fermée.

Elle s'examina dans la glace du corridor. Les traces de la nuit avaient disparu. Seule, au fond des yeux, persistait une lueur d'angoisse ou de méchanceté qui contrastait avec la fraîcheur pimpante de son maquillage. Elle se fit un large sourire engageant qui lui parut grotesque et se retourna vivement. Sa fille s'amenait, ponctuelle comme un train suisse. Elle posa sur ses lèvres un sourire normal de petit matin et retourna à la cuisine.

— Bonjour m'an. Eh ! T'as mis la table des jours de fête ! Y a-t-il quelque chose de spécial que j'aurais oublié ?

— Non. Ça me tentait tout simplement d'attirer le soleil. Le temps est encore gris aujourd'hui.

— T'as fait ça pour rien? *Come on*, m'an. Il y a sûrement une raison. Qu'est-ce qui cloche?

— Pourquoi veux-tu des raisons à tout? répondit Lucienne excédée. Que ce soit simplement joli ne te suffit pas?

— Ouais, si tu le dis! N'empêche... C'est vraiment pas dans tes habitudes... Mais je comprends... T'es pas obligée de me donner des explications, déclara Francine en attaquant son pamplemousse. Est-ce qu'il y a du jus d'orange?

— Oui, tu en veux?

— Ben oui, répondit-elle en ouvrant un roman d'Asimov.

Lucienne tendit un verre de jus à sa fille qui ne daigna pas lever les yeux de son livre. « Toujours à lire, celle-là », pensa-t-elle, agacée.

— Francine, fais attention!

— Comment? Qu'est-ce qu'il y a encore?

— Tu as failli renverser le jus sur la nappe...

— Bon!... Toujours le même refrain. Ta maudite nappe, si tu ne veux pas la tacher, laisse-la donc dans les tiroirs. Comme ça, on va pouvoir manger en paix.

— Manger en paix! Il me semble qu'à ton âge, tu pourrais faire attention. Si tu regardais un peu plus ce que tu fais, on ramasserait moins derrière toi.

— Ça recommence! Tu ne pourrais pas, juste pour une fois, me laisser lire et déjeuner tranquille. Je ne te dérange pas, hein? Ça t'énerve tant que ça?

Lucienne regarda placidement sa fille. Elle prit sur elle de ne pas répondre. Il y a des choses qui ne se disent pas, qu'il faut ravaler, au risque de s'empoisonner. Bien sûr que sa fille l'énervait et la dérangeait. Depuis sa naissance, ses premiers pleurs et sa mine renfrognée. Elle n'avait jamais réussi à s'habituer à ce paquet braillard, à cet air bougon et ingrat. À ses grands yeux lamentables et à sa paresse insolente frisant l'apathie. Elle avait pourtant fait des efforts surhumains pour l'aimer, lui trouver des qualités. Dès ses premiers pas, Francine s'était trouvée dans ses jambes, pleurnichant et quémandant, agrippée à ses jupes. À l'âge où elle-même avait affronté la nuit, sa fille jouait avec des poupées idiotes, s'entêtait à les habiller et à les déshabiller en babillant, à coiffer leur tignasse en acrylique rousse ou blonde qui collait à tous les fauteuils de la maison. Elle ne cessait de sucer son pouce, de grimacer ou de minauder pour tout et pour rien. Sa chambre débordait de jouets, de poupées et de mignonnes robes en dentelle. Lucienne avait strictement suivi les conseils d'experts et donné à sa fille tout ce dont elle-même avait manqué. Ce tout avait d'ailleurs évolué au gré de l'ascension sociale de Fred et lui permettait de faire de l'esbroufe aux fêtes d'enfants. Francine ne pourrait jamais dire qu'elle avait manqué de quoi que ce soit. Lucienne avait tant gaspillé d'argent pour lui témoigner son amour.

À l'école, Francine réussissait sans effort. Elle était maintenant une adolescente peu difficile, à en juger par les inquiétudes exprimées par ses amies au cercle de bridge. Elle ne fumait pas, ne buvait pas, ne s'abêtissait pas dans les boîtes à chansons ni ne se dévergondait dans les discothèques. Lucienne disait toujours, laconiquement: « Francine va bien. Il n'y a pas à dire, elle ne me cause pas de soucis » et le sujet dérapait vers des cas intéressants. Elle ne leur aurait pas avoué que sa fille n'avait simplement pas assez d'ouverture d'esprit pour être excitée par la vie. Son centre se limitait aux romans policiers et aux récits de science-fiction qu'elle avalait avec autant de boulimie que ses beignes et ses biscuits.

Leur seul point commun, c'était cette lourdeur du corps qui les vieillissait toutes deux prématurément, constatait froidement Lucienne.

L'avenir de sa fille ne l'intéressait pas vraiment. Elle n'avait jamais eu d'ambitions à son égard. Elle souhaitait qu'elle fasse un bon mariage, sans plus. Sa fille allait de toute façon se débrouiller, comme elle, comme tous les gens ordinaires, et se dénicher une place à l'ombre. Sa véritable préoccupation était de savoir quand sa fille allait cesser de la parasiter. Désir que son état de mère lui interdisait de formuler, non de penser. Ah ! si elle avait ressemblé à son grand-père ou à son mari, Lucienne aurait pu réagir, disputer, rire, exiger, sermonner. Mais non ! Sa fille sécrétait l'ennui et sa présence morne (sauf quand elle pleurait, hélas !) décourageait tout élan d'affection, toute ébauche de tendresse. Alors que son fils Édouard... Ah ! son Édouard ! Toujours souriant, serviable, affable et enjôleur. Bon dans tout, au hockey, au ballon-panier, en maths et en géographie. Un gaillard pour ses quinze ans, une tête blonde et une dentition parfaite. Il ira loin, qu'elle prédisait, le voyant médecin ou avocat. « À moins qu'une fille ne l'embobine », pensait-elle avec inquiétude chaque fois que son fils sortait sans lui demander la permission. Ce qui lui arrivait plus fréquemment.

— M'an. MAMAN. Je te parle. Ça fait trois fois que je te pose la même question. Reviens sur terre !

— Quoi ? Tu disais ?

— Est-ce que papa est levé ?

— Non, il dort encore.

— Mais il m'avait promis de me reconduire ce matin. Je vais aller le réveiller, dit-elle en se levant. Je ne veux pas être en retard.

— Francine, laisse ton père dormir.

— Ben quoi ! Il est 8 h déjà.

— Il est entré très très tard hier soir. Ton père est fatigué. Il a besoin de se reposer.

— Pis moi, qu'est-ce que je fais?

— Tu fais comme d'habitude, ricana Édouard en entrant dans la cuisine. Tu prends l'autobus.

Il salua sa mère, lui donna un gros bec sur la joue, s'installa à la table, commanda deux toasts, étira le bras vers la radio pour trouver de la musique *cool*, puis entama son pamplemousse.

— Niaiseux. C'est pas à l'école que je vais, c'est au centre d'emploi à côté de son bureau.

— Tu veux travailler? Qu'est-ce que tu comptes faire?

— Je ne sais pas. Mais il y a un programme pour les étudiants...

— Je croyais que tu voulais travailler dans une colonie de vacances?

— J'ai changé d'idée.

— T'as bien fait. Comme sportive, on a déjà vu mieux.

Francine sortit de la cuisine. Après son échec pour se faire embaucher à Terre des Hommes, elle n'allait pas leur dire que si elle avait changé d'idée, c'était de peur de faire rire d'elle. Elle aurait toutefois tant aimé s'occuper des enfants. Leur raconter les histoires fantastiques qu'elle inventait, pleines de robots, de chevaliers et de monstres. Elle se dirigeait vers la chambre de ses parents quand sa mère lui cria de ne pas déranger son père.

— C'est pas grave, lui lança Édouard en se moquant. Même en retard, tu es encore à l'heure pour le gouvernement.

— Épais, siffla-t-elle en se dirigeant vers sa chambre.

C'était prévisible. Alors qu'il lui fallait se dépêcher, Francine perdit du temps à chercher la meilleure place où cacher son hasch, avant de partir à la course. Lucienne l'entendit fermer la porte de l'entrée. « Une de moins », pensa-t-elle, en rappelant à son fils qu'il était l'heure de partir. Elle ne voulait pas qu'il assiste à son tête-à-tête orageux avec Alfred. Elle commença à mettre la vaisselle dans le lave-vaisselle, éteignit la radio, épousseta dans le salon et rouspéta jusqu'au départ d'Édouard. « Ouf ! » soupira-t-elle dès qu'il eut refermé la porte derrière lui. Elle s'allongea dans un fauteuil. Le temps semblait s'éclaircir. Ici et là, des marbrures bleues éclaboussaient le ciel gris et la brise remontait dans le rideau de mousseline. L'incertitude du temps l'énervait beaucoup, l'obligeait toujours à choisir et rechoisir des vêtements convenables. Décidément, la journée avait bien mal commencé.

Le bruit de la chasse d'eau la tira de ses pensées. Elle entendit le pas lourd de son mari dans la cuisine. Il fouilla dans l'armoire, décapsula une bouteille (d'aspirine sans doute), se servit à boire. Elle ne fit aucun mouvement. L'acidité du jus fit grimacer Alfred. Alors, seulement, discerna-t-il la nappe fleurie, son couvert bien mis, une légère odeur de cigarette et le silence. Il haussa les épaules en se recommandant une extrême prudence. Sans appétit, il se contraignit à manger une rôtie et à boire un café sur le point de bouillir à force de l'attendre. Il se dit que Lucienne devait être dans le salon, recroquevillée dans son fauteuil, furieuse, à en juger par son silence et son refus de bouger. N'ayant pas encore suffisamment de courage pour aller s'assurer de sa présence, il engloutit à contrecœur une autre rôtie. Il lui fallait se trouver une contenance, affronter la colère de sa femme avec des gestes et une attitude sans équivoque. « La rassurer », se dit-il, en hésitant sur la meilleure manière d'y parvenir. Il alluma la radio, oh ! tout bas, vu son mal de tête, et revêtit l'allure de légère culpabilité qu'il affectionnait tant. Son sentiment de parfaite irresponsabilité commençait à équilibrer la pesanteur du silence. Quand il se jugea insouciant à souhait, il se dirigea vers le salon en toute innocence.

— Ah ! Tu es là, s'exclama-t-il, l'air surpris. C'est tellement calme que je te croyais sortie.

— Tu as bien dormi ?

— Comme je n'entendais rien, j'ai pensé que tu étais sortie, répéta-t-il en se traitant d'idiot.

Il prit un air dégagé, s'assit, en poussant un « ouille ».

— Le mal de crâne que j'ai ! dit-il pour l'amadouer. Tu peux pas savoir ! Maudite boisson, ça m'apprendra, murmura-t-il, penaud.

Lucienne lui jeta un sourire fatigué. Elle lui demanda, gentiment pour ne pas l'effaroucher, ce qui avait pu le mettre dans un état pareil. Lui qui ne buvait jamais.

— Une fête avec les étudiants après le cours ? suggéra-t-elle, l'esprit ouvert.

— Non, non. Le cours de peinture a été remis. Le prof est malade…

— Ah oui ?

— Je ne te l'avais pas dit ? Ça fait deux semaines qu'il est absent, répondit-il, conscient d'avoir mal amorcé le dialogue.

— Je ne le savais pas.

— J'étais pourtant certain de t'en avoir parlé, dit-il, songeur.

— Depuis deux semaines ?

Alfred avait l'impression de marcher en contournant des sables mouvants. Le plus petit faux pas et il s'enliserait. Perdrait son autonomie. Sa liberté. Il jouait gros.

— J'étais avec Monaghan et Giguère…

— Léo Monaghan ?

— Oui… et Paul Giguère. Ils veulent augmenter le

membership de l'Union nationale. La caisse est bien garnie, mais... on ne sait jamais ce qui peut arriver...

— Tu ne vas tout de même pas te lancer en politique, Alfred. Ça n'a pas de bon sens, surtout avec ce parti-là. Voyons, raisonne!

Alfred se sentit mieux. Son intuition l'avait bien servi. Lucienne allait lui faire des remontrances qu'il accepterait l'air résigné. Tout irait bien. Il se voyait, volant à tire-d'aile, tourbillonnant avec grâce et plongeant en piqué, avec une grande maîtrise, et rebondissant au-dessus des pièges de sable et des filets.

— Pas de la politique active, Lucienne. Simplement leur donner un coup de main, comme recruteur, je crois...

— Recruteur pour l'Union nationale?

— Ouais. Ils aimeraient attirer plus de jeunes. Léo me fournirait une liste de noms et je sonderais le terrain.

— Es-tu fou?

« Oh bonheur! » pensa-t-il en baissant la tête, honteux. L'air décontenancé, il se dictait la plus grande prudence. Si Lucienne devinait sa joie...

— Veux-tu bien me dire à quoi tu as pensé? continua-t-elle. Tu ne peux pas te permettre de faire de la politique, même indirectement! Encore moins d'être associé à un parti.

— Lucienne, il s'agit d'un sondage. Pas de vendre des cartes de membre. Et puis Léo est un client. Je ne pouvais pas lui refuser cela.

— Parce que tu as accepté? s'écria-t-elle, outrée.

Erreur! Fred était fâché contre lui. Il était allé trop loin, avait piqué du nez. Il lui fallait revenir sur ses pas. La femme de Léo était une connaissance de Lucienne, s'il fallait... Il avait l'air fou, ce qui ne nuisait pas à la situation, à moins... à moins de lui donner le sentiment de sauver la mise.

— C'est-à-dire que je dois lui donner une réponse à midi, avança-t-il timidement.

— Tu vas décliner son offre.

— Sous quel motif? Je ne peux pas l'offusquer.

— Des raisons personnelles. Dis-lui... que tu n'as pas de temps à lui consacrer, que ta famille te voit déjà si peu...

— Voyons, Lucienne, les sondages, je peux les faire tranquillement au bureau.

— Et alors? Le temps accordé à cela, il va falloir que tu le reprennes, non?

— Évidemment... Mais je vais avoir l'air de quoi, à me désister ainsi?

Il la suppliait presque, l'Alfred.

— D'un gars qui appuie moralement la cause, mais qui ne peut s'y engager ouvertement.

— Il va être déçu, Léo. Il comptait vraiment sur moi.

— Allons donc! Léo va comprendre. Depuis le temps qu'il fait de la politique, il en sait bien plus que toi.

Alfred prit le temps de réfléchir avant d'accepter l'argument de Lucienne et de lui déclarer, avec reconnaissance, qu'elle avait raison. Le visage rasséréné, il se leva. Il était déjà si en retard et sa toilette n'était pas faite.

Lucienne se sentit soulagée. Sa colère s'apaisa, supplantée par le mépris qu'elle éprouvait, parfois, pour les jugements de son mari. Il était d'une telle naïveté, par moments. « Faire de la politique », s'indigna-t-elle, alors que son succès reposait, en grande partie, sur sa neutralité et qu'il avait des clients de toutes allégeances. Elle prit une grande respiration et se rendit compte qu'il n'avait pas raconté ce qu'il avait fait la veille. Elle n'allait toutefois pas insister. Le danger était passé. Elle avait craint une liaison plus déterminante que les précédentes.

Pas par jalousie. Elle n'estimait pas suffisamment Fred pour s'offusquer de ses fredaines et de ses passades. Bien au contraire ! Ses maîtresses la libéraient de son devoir conjugal. La sexualité l'achalait. Non. L'horripilait. Que son mari assouvisse ses bas instincts dans les bras de femmes accueillantes ne l'affolait pas, pour autant qu'il n'en fasse pas état et qu'il ne manque rien à la maison.

Ses peurs viscérales avaient été au rendez-vous : peur de la pauvreté et de l'opprobre, de la perte de ses biens, attaches solidement ancrées à son identité. Comme la nappe de fête, quétaine et de mauvais goût aujourd'hui, mais dont l'histoire lui conférait valeur de symbole. Son premier achat avec sa première paie. Tout le monde avait ri de son étrange fantaisie, surtout ses collègues de bureau. Mais elle s'en était servi comme d'un bien précieux digne de dissimuler les tables laides et usées, d'agrémenter les fêtes de Noël et les repas d'anniversaire ennuyants, de traduire, au fil des décennies, ses joies et ses chagrins. Ses colères, aussi. Mettre la nappe de fête un jour ordinaire indiquait l'insolite et le tourne-pas-rond et sa famille avait appris à en décoder le message.

Lucienne s'étira. Elle était fière d'avoir pu éviter la catastrophe et régler le cas d'Alfred. Elle téléphona à Germaine et les deux sœurs convinrent de luncher ensemble. Elle se sentait légère et d'attaque. Dehors, le bleu paraissait vouloir l'emporter sur le gris. La lutte était serrée, ce qui ne l'aidait pas à décider quoi se mettre sur le dos. Mais tout allait s'arranger, se disait-elle au moment où Fred la saluait d'un baiser sur le front, avant de se rendre au bureau.

III

ALFRED FREDONNAIT, heureux de sa performance. Il avait le goût de faire la course avec les autres automobilistes, de baisser sa vitre et de crier des « yaouououou » de cow-boy pourchassant le bison au galop, de chanter à tue-tête : « La bohème, ça voulait dire on est heureux ». Il alluma la radio, emprunta des détours pour faire durer le plaisir. Il était radieux. Les caresses de Colette, hier soir, son désir insatiable et sa longue plainte rauque l'excitaient encore. Ses éclats de rire échevelés, ses ongles rayant ses cuisses et ses lèvres gourmandes lui donnaient de nouveau le frisson. Il se palpa. Il ne rêvait pas. Et il maudit son bureau où il devait se rendre. Il se gara avec précaution et se dirigea vers l'ascenseur du pas d'Alexandre conquérant Athènes. Ah ! la passion des retrouvailles, quel bonheur !

Il ouvrit la porte du bureau d'un geste théâtral, lança un « Bonjour, il fait beau aujourd'hui », et sans attendre de réponse, il s'enferma dans son cabinet, en sifflotant. Ses trois vendeurs le regardèrent passer, ahuris. « C'est peut-être le moment de demander une augmentation », gloussa l'un d'eux, et tous de rire en se replongeant le nez dans leurs dossiers à l'approche de Blanche, la secrétaire agente de direction et d'admiration du patron depuis vingt ans.

Alfred s'apprêtait à ouvrir son coffre-fort quand des coups discrets à sa porte l'obligea à s'arrêter et à crier : « Entrez ! » Blanche le salua d'un bonjour amène, posa sur la table un café-un-lait-un-sucre. Au garde-à-vous, tenant son agenda et son bloc-notes contre sa poitrine, elle attendait que son patron s'aperçoive de sa présence. Mais il lui tournait le dos, s'amusait à reconnaître dans les nuages les formes les plus hétéroclites, ce qui la mit mal à l'aise. Il avait son allure bizarre des jours où la réalité ne l'atteignait pas. Et cela représentait un danger car personne, pas même Alfred, ne savait quelles décisions il allait prendre ni vers quelle direction il entendait aller. Il flottait, comblé, dans le vague. Blanche toussota. Une fois. Deux fois. Plus fort. Son patron se retourna, perplexe, la regarda et lui servit un sourire charmeur.

— Monsieur est de bien belle humeur aujourd'hui.

— Excellente, Blanche, excellente. Je ne me suis jamais senti aussi bien. La fièvre du printemps, sans doute.

Blanche ne répondit pas. Alfred s'avança vers sa table de travail et prit la tasse de café en lui demandant quel jour on était.

— Le 20 mai, monsieur.

— Le 20 mai, répéta-t-il rêveur. Déjà... Blanche, vous allez me réserver une chambre à Boston pour la semaine prochaine.

— Toute la semaine, monsieur ?

— Euh ! oui... Il y a longtemps que je me promets d'aller à Boston. Il y a un musée... quel est son nom déjà ? Voyons... Enfin, ça va me revenir...

— Dois-je annuler le rendez-vous de M. Pearson mercredi prochain ? demanda-t-elle légèrement inquiète.

— Ah ! Pearson ! Je l'oubliais celui-là. Évidemment qu'on ne peut pas remettre le rendez-vous, rétorquat-il, agacé, ignorant si la cause en était d'avoir oublié Pearson ou de devoir repousser ce voyage qui lui semblait tout à coup indispensable. Et la semaine suivante, y a-t-il d'autres rendez-vous importants ?

Blanche parcourut son agenda.

— Rien qui ne puisse être déplacé, répondit-elle d'un ton assuré.

— Alors, n'en prenons plus. Je vous dirai ce qu'il adviendra de Boston dès demain, l'avertit-il en pensant à la surprise qu'il ferait à Colette.

— Voulez-vous voir votre emploi du temps pour aujourd'hui ?

— Plus tard, Blanche, plus tard. Je dois luncher avec Léo Monaghan à midi. D'ici là...

— Il y a la réunion hebdomadaire...

— Vous avez les dossiers ?

Blanche désigna une pile de documents sur le bureau. Alfred les regarda pensivement, signifia à Blanche qu'elle pouvait disposer, en lui recommandant de prendre les messages et de ne plus le déranger. Elle sortit sur la pointe des pieds et se rendit directement à son poste de travail, en dissimulant son inquiétude aux « subalternes ». L'euphorie de son patron la désarmait toujours. Ces épisodes lui donnaient un surcroît de boulot. Des heures et des heures supplémentaires, sans autres remerciements que ces « Blanche, que deviendrais-je sans vous ? » quand il revenait sur terre. « Si, au moins, il avait des lubies comme tout le monde », se plaignait-elle. Des écarts de conduite raisonnables, des engouements normaux, comme jouer au golf ou assister aux matches de hockey. Mais non ! Il était toujours à la limite de l'excentricité, avec ses cours de peinture et ses safaris-photos. S'il fallait que les clients le jugent moins fiable, que lui faudrait-il inventer pour le couvrir ? Ses fantaisies bouleversaient les conventions, mais suscitaient, elle en convenait, son admiration. Prendre sa défense était parfois un jeu excitant, sauf quand il s'agissait d'effacer les traces de Colette. Oh ! celle-là ! Elle lui en avait causé des insomnies ! « Mais qu'est-ce qu'il peut bien manigancer ? » se demandait-elle en suivant ses allées et venues à travers le givre de la porte vitrée.

Alfred ouvrit son coffre-fort. Sur sa table de travail, il étala une dizaine d'enveloppes brunes. Il ouvrit celle qui était marquée « 1946-1948 », mais la referma aussitôt en pensant téléphoner à Colette. Elle était peut-être encore au lit, nue sous les couvertures et, la main entre les cuisses, à se languir de lui ? L'excitation le gagnait. « Je te réveille ? » souffla-t-il de sa voix sensuelle. Colette sortait de la douche. Il se voyait épongeant ses seins, son ventre, l'humidité de son sexe. « Arrête, Fred. J'ai horreur de ça, tu le sais bien », lui répondit Colette. Il éclata de rire. Elle détestait ces appels « obscènes » disait-elle, « suggestifs » corrigeait-il et s'amusait à la provoquer. Il serait là vers 14 h, lui apprit-il tout de go. Il allait remettre ses rendez-vous, se consacrer à l'embrasser, à s'enfoncer, profond, jusqu'à son cri de grâce. Pantelant, il raccrocha. Son pénis emprisonné lui faisait agréablement mal. Il aimait cette douleur que Colette transmuait, à grandes lampées, en plaisir extrême. Il se contenait pour ne pas éjaculer, faisant une pression sur sa fermeture éclair, psalmodiant « Sois calme oh ! ma douleur et tiens-toi bien tranquille », comprimant son sexe. Il ressentit une légère irritation et se retint de ne pas courir vers des caresses prometteuses d'intenses frissons. Un coup d'œil aux dossiers l'excéda et lui donna la nausée. Il ne désirait que s'enfermer. Dans les bras de Colette, dans ses souvenirs, dans ses rêveries, à la recherche de l'obscur élément qui adoucirait son angoisse. Au mur, accrochée face à son bureau, la reproduction du fameux *D'où venons-nous ? Que sommes-*

nous ? Où allons-nous ? de Gauguin le narguait, les jours où il n'avait pas de réponses.

Colette connaissait ces moments où, en déséquilibre sur ses vies parallèles, il avait la sensation de tourbillonner dans un vortex sans fin. Mieux que quiconque, elle savait exorciser ses terreurs et ses aspirations en un débordement de sens violent. L'image d'une Colette à l'écoute de ses élucubrations, nue, jambes écartées et la tête renversée sur les coussins, discutant du sens de la vie, s'imposa à son esprit. Pourtant il ne pouvait tout lui avouer. Alfred s'empara d'une feuille de papier et dessina à grands traits un corps nonchalant de femme, un sexe de grenade éclatée, béant, palpitant, ombragé. Il se sentit plus calme, prêt à affronter les insignifiances de sa tâche. Et il se rendit à la réunion où l'attendait son personnel.

Il avait pris son visage de patron bienveillant et dynamique, solidaire des initiatives de tous et chacun. Et combien disposé à louanger leurs efforts personnels. Il aimait ce masque peaufiné par l'expérience et savait en tirer la juste dose d'authenticité et de sollicitude. Les gens lui faisaient immédiatement confiance et il se bâtissait une réputation de meneur et de *self-made man* honnête et respectable. Peu d'entrepreneurs auraient pu être aussi fiers que lui de ses employés, à la fin de la réunion. Et la réciproque était vraie. Les vendeurs s'étaient surpassés, au point d'atteindre leurs objectifs aux trois quarts du trimestre. Ils faisaient valser les chiffres en se gonflant d'importance. Sa compagnie d'import-export était en passe de se classer parmi les dix meilleures au pays. Déjà, elle fournissait en matériel et outils de jardinage presque toutes les quincailleries et magasins généraux du Québec. Et il allait signer ce contrat d'exclusivité avec Pearson pour la mise en marché de tapis en simili gazon vert à l'épreuve de l'eau, de la boue, de la neige et du calcium. Son directeur commercial et comptable lui proposait de diversifier ses activités et il s'était montré intéressé par ce projet, bien qu'il lui manquât un plan d'affaires et une étude de rentabilité plus poussés.

Alfred avait patiemment écouté les comptes rendus, ri aux anecdotes, félicité et encouragé ses troupes. Puis, il s'était de nouveau enfermé dans son bureau après avoir donné l'ordre de ne pas être dérangé. Il regarda son Gauguin, en proie au vertige. Il avait, pour la deuxième fois de la journée, tenu son rôle avec brio. Pourtant, il en conservait un goût rance. À quoi lui servait-il de si bien jouer alors que personne n'en soupçonnait rien ? se demanda-t-il désabusé.

Il avait le sentiment d'une perte irrévocable. Le sentiment cruel d'être un raté sous ses vêtements taillés sur mesure. Paradoxalement, l'impression d'être inutile à sa compagnie, désormais si bien gérée qu'elle pouvait fonctionner sans lui, l'humiliait. La pensée que l'univers continuait à tourner, qu'il tienne bien ou mal son rôle, lui était insupportable. Il n'avait encore rien accompli, déplorait-il avec amertume. Son grand œuvre, la grande ambition de sa vie, traînait, éparpillé sous la poussière, faute de temps et à cause de son entêtement à se persuader qu'il avait encore tout son temps. Tout dérapait. Il avait cru que la vie lui appartenait et il se retrouvait à la tête d'une entreprise fondamentalement opposée à sa raison d'être. Il avait failli et ce jugement le blessait crûment. Il tenta de se secouer. Il avait toujours pu colmater ce vide, juguler ses inquiétudes qui chambardaient ses calculs et le forçaient à s'interroger sur sa destinée, inexorablement. Par bonheur, ces moments duraient peu et le stimulaient à mener ses activités, mû par l'ambition vertigineuse d'être quelqu'un.

Sur sa table de travail, les enveloppes matelassées le narguaient avec insolence. Il en pigea une au hasard :

« 1962-1966 » et sortit les agendas correspondant à ces années. Ses cahiers secrets, sorte de journaux intimes racontant les soubresauts d'une vie apparemment monotone. Il feuilleta les pages du cahier 1962, étonné d'avoir oublié ces traces de lui-même : dessins gribouillés, peut-être au téléphone, poèmes maladroitement rimés au milieu des renseignements pratiques qu'il comptabilisait. « 24 janvier, lut-il à haute voix. Fleurs : Cécile (Léo) ; Laurent Hamelin (scotch-auto) ; tél. à Col. C.B. ; souper ❤. » Le cœur était rouge sang. Ce détail aurait dû raviver sa mémoire, mais il ne réveillait rien de particulier. Il avait si souvent mangé avec Colette ! Ce 24 janvier, tout important qu'il fût, ne signifiait rien de plus qu'un autre tête-à-tête. Déçu, il poursuivit sa lecture : « 18 février. Fleurs (décès de M. B.) ; 12 h 30, lunch Gaétan Lavigne et Marc. Réf. : Invest. Mt Tremblant – 1 caisse champagne ; M. B. (crise cardiaque) me doit deux mille dollars. (Morale : je suis une caisse vide de charité !) » Il chercha le 20 mai, lut : « Fin de semaine avec C. à Owl's Head. (Je m'ennuie, je n'aime pas la campagne. Je perds mon temps. ELLE ME FAIT PERDRE MON TEMPS.) »

Alfred se rappelait bien cette fin de semaine morne. Colette avait souhaité faire ce voyage pour qu'ils « se parlent », se disent des « choses ». Mais, il n'avait rien à dire. Les besoins de Colette commençaient à l'irriter franchement. Il avait bougonné, dormi, esquivé chacune de ses tentatives d'aborder des sujets dont il ne voulait pas parler. Elle avait fait seule une randonnée en montagne, alors qu'il prétextait avoir du travail. Leur liaison lui plaisait telle quelle. Il ne voulait rien y changer. Ils avaient platement fait l'amour. Au retour, il n'avait pas vraiment eu le courage de rompre et lui avait simplement dit : « Laisse-moi du temps. C'est pas facile. Il y a Lucienne, les enfants », en lui laissant le choix de la décision.

— Mais ça fait deux ans qu'on est ensemble. Qu'est-ce que tu veux?

— Rien. Laisser venir les choses. Ne rien brusquer. Tu en pâtirais. La vie avec moi n'est pas facile. Et je m'en voudrais que tu sois malheureuse.

C'était le plus loin qu'il était allé. «Laisse-moi du temps», avait-il dit, comme un espoir à entretenir, alors qu'il savait bien qu'il ne quitterait jamais sa femme pour les exigences de Colette, ou de n'importe qui susceptible de lui gruger son temps. En avait-il assez perdu, rattrapé, escamoté et pris, du temps? Il eut soudain l'envie irrésistible d'étaler tous ses agendas, là, sur le tapis, et de chercher, pêle-mêle, ce qu'il avait pu faire tous les 20 mai depuis vingt ans. Un désir irrépressible de mesurer son pouvoir, son ascension dans la bonne société, à coup d'envoi de fleurs, d'alcools, de parfums et de pots-de-vin déguisés en cartes de membre, billets de cagnotte et abonnements divers. Additionner tous les soupers-bénéfice, les épluchettes de blé d'Inde, les bals masqués et les parties de Noël organisés au nom d'une cause toujours louable. Savoir précisément le nombre d'heures gaspillées à ces activités obligées où il s'était transformé en organisateur, mécène, amant, goujat. Calculer le temps qu'il avait dérobé à son grand œuvre, déterminer celui qu'il lui restait. Soupeser, évaluer, escompter, jusqu'au bout.

Cette idée l'obsédait. Il commença à inscrire sur une feuille le nombre d'heures perdues par jour, durant le mois de mai. Il additionna les heures, fit la moyenne et multiplia par douze mois. 1962 = 1080 heures = 45 jours. Ce total approximatif le renversa. Il avait perdu quarante-cinq jours de sa vie en 1962. Une sorte de stupeur engourdissait son esprit. Il se répétait «quarante-cinq jours» comme un disque rayé.

Il ouvrit avec frénésie le carnet marqué 1964. Chaque page était remplie de notes à l'encre turquoise, certaines rehaussées au stylo rouge ou au crayon gras. Encore des dessins, des mots soulignés, encadrés, biffés et repris plus loin, à l'extrémité d'une flèche. Un fouillis ordonné de rendez-vous et de lunchs importants, d'appels téléphoniques ratés, de cadeaux à faire parvenir. Le nombre de présents, de vœux de santé et de souhaits en tout genre envoyés par semaine était effarant. Des pensées, apparemment gratuites, mais répertoriées en un système soigneusement codifié pour ne pas commettre d'impairs. Il s'agissait de témoigner au client une attention particulière, comme le lui avait appris son gérant au tout début de sa carrière, alors qu'il vendait de porte en porte des brosses Fuller. C'était apprécié et quand il sonnait, la maîtresse de maison se souvenait toujours de la carte de vœux envoyée à la naissance du petit dernier ou à l'hospitalisation du mari. Reconnaissante, elle lui fournissait les noms de personnes intéressées par ses produits, le plus souvent ses belles-sœurs. Fred élargissait ainsi sa clientèle et les petites gens l'accueillaient chaleureusement l'hiver, lui offrant du thé bien chaud qu'il ne refusait jamais, même si le temps pressait et qu'il avait encore toute une rue à arpenter.

Son succès, il le devait grandement à toutes ces petites attentions. Aux brosses Fuller succédèrent des balayeuses, puis des assurances feu-vol. Plus de cinq ans à s'immiscer dans les maisons chics, tout en faisant régulièrement la visite des quartiers pauvres. À respirer la misère en faisant la tournée de ceux qui payaient à la semaine un produit qui leur revenait au triple du prix. À voir ces gens crispés par la peur de perdre leur appareil ou leur assurance, après deux années de paiements, parce que cette semaine-là, ils n'avaient pas leurs cinquante sous. À rechercher ceux qui disparaissaient sans laisser d'adresse. Des années de misère qui l'avaient endurci. Il se comparait volontiers au médecin devenu insensible à la douleur de ses patients à force de la côtoyer. Il s'était immunisé contre la pauvreté, les pleurs des enfants, le manque de discipline des parents et la paresse de ces hommes qui se berçaient au chaud, alors qu'il marchait de porte en porte jusqu'à l'épuisement. Ces fainéants qui voulaient tout sans travailler, sans faire d'efforts, « sans cœur au ventre », commença-t-il à penser sérieusement.

Il avait étendu son réseau. Le niveau de vie élevé de sa nouvelle clientèle l'avait contraint à soigner ses marques de courtoisie. Il n'achetait plus à la douzaine ses cartes de souhaits et sélectionnait les envois en fonction des services rendus ou des faveurs à obtenir, selon le statut social ou les goûts notoires de chacun. Quand il s'était lancé dans l'import-export, il avait déjà une liste inouïe de clients réels et potentiels.

Fred examinait son agenda d'un air incrédule. Il était tant habitué à ce système de largesses qu'il n'avait jamais pris conscience de son importance. Beaucoup en avaient profité, alors que lui ne mettait même pas les pieds au théâtre. Et au hockey encore moins ! Sa femme y allait avec Germaine ou des amies, depuis qu'elle avait compris qu'il ne l'accompagnerait jamais. Il n'en avait pas le temps et détestait les mondanités. Il scruta l'agenda à la recherche d'indices traduisant ses goûts. Il en avait les mains moites. Était-il possible qu'en 1964, il n'ait rien fait de plaisant ? De ce qu'il aimait ? Une minuscule note encadrée d'un double trait rouge, en date du 6 septembre, lui sauta aux yeux. « René Richard. À suivre. » Il avait biffé le « À suivre ». Il s'en souvenait avec netteté, un pincement à l'estomac. Il n'avait pas acheté de tableau, n'était plus retourné à la galerie tant le choc avait été grand. Sur les murs, toutes les toiles qu'il aurait pu peindre, qu'il aurait dû peindre, s'offraient sans pudeur. Il avait fui, plié en deux, comme sous l'effet d'un crochet droit. Et banni de son itinéraire cette rue qui ravivait une blessure mal guérie.

Il tourna rapidement la page. Et les suivantes. À Noël, il lut : « Voir annexe. » Il déplia les feuilles brochées à la page de garde. À la machine à écrire, par ordre alphabétique, Blanche avait minutieusement noté les cadeaux offerts à chacun. Il parcourut la liste des noms avec détachement, à peine surpris des aléas de la vie. C. B., gérant de quincaillerie obligé de vendre son commerce et de déménager à la suite de son divorce ; J. L., député, aujourd'hui défait ; Claude P., président du Club Panthère, hélas décédé d'une cirrhose du foie. Des noms de gens connus, ou en passe de devenir des célébrités, hommes d'affaires, politiciens ou fonctionnaires. Beaucoup d'oubliés, d'inconnus qu'il allait rayer au fur et à mesure que leur intérêt diminuerait. De ses premiers clients, aucun ne subsistait. La liste était mouvante et cruelle, comme la vie.

L'année 1964 n'était pas différente d'aujourd'hui. Seuls quelques noms avaient changé. À part Colette et la soif de vivre qu'elle lui avait insufflée, tout était semblable. Son système survivait, intact mais plus coûteux, et même de ça il n'était pas certain. Il n'avait jamais encore évalué le rapport coûts-bénéfices, ni le rapport coûts-plaisirs orgueilleux. Il rejeta avec impatience l'agenda dans la pile et en prit un autre. Ces pages lui donnaient mal au cœur. Il effectua un calcul sommaire, en faisant la moyenne sur deux semaines, et barbouilla : « 1966 – 1800 h – 75 jrs. » Hébété, il contemplait tous ses cahiers, les bras ballants, la tête basse, aussi immobile et désarticulé qu'une marionnette suspendue à un clou. Sa découverte l'hypnotisait. Il évalua grosso modo à quarante-trois mille deux cents le nombre d'heures perdues depuis 1946, sans compter les années bissextiles. « Cinq ans de sa vie », se répétait-il, découragé. Il appela sa secrétaire, la pria de lui apporter un autre café et d'annuler tous ses rendez-vous de la journée. Aux trois coups de Blanche, il entrebâilla la porte, se saisit de la tasse de café et referma en verrouillant. À ses pieds le passé s'entassait. Colossal et dément.

« Où et quand ai-je commencé à errer ? » se demanda-t-il, tout en sachant la réponse. Il se pencha sur le premier carnet, caressa délicatement le cuir encore souple dont la texture le surprit agréablement. Il l'ouvrit avec précaution : 1946. Cette année avait scellé son destin, avait-il coutume de se dire. Un craquement sec cassa le silence. La poudre légèrement grumeleuse de la colle séchée s'écaillant le long de l'épine s'agglutinait à ses doigts, crissait sous les pages tournées, fine poussière d'os. Il feuilleta religieusement l'agenda, étonné d'y voir si peu d'inscriptions. C'était si contraire à ses souvenirs.

Avec émotion, il remarqua combien sa calligraphie avait peu changé. Mêmes fioritures, mêmes barres sur les *t* bien au-dessus de la verticale. Même encre bleue presque turquoise. Des notes brèves et impassibles. La première entrée datait du 10 avril, journée de son arrivée à Montréal. Jusque-là, uniquement des pages vierges, à peine jaunies par le temps, comme si ce 10 avril marquait sa naissance, non sa mort. Il frissonna. Ces pages blanches masquaient la plus belle et la plus dure période de sa vie. Des années intenses que nulle annotation, si détaillée eut-elle été, n'aurait pu rendre dans toute leur plénitude. D'abord, la guerre. Il ferma les yeux, se passa la main dans le visage, sous le choc. Des images terrifiantes : cadavres déchiquetés, sifflements infernaux d'obus, odeur pestilentielle des charniers. Il se crispa, refoula ces souvenirs qui zébraient sa mémoire d'horribles détails.

« 10 avril, gare Windsor », s'efforça-t-il de lire à haute voix. Sa mère et ses sœurs étaient venues l'accueillir, exultaient de tant de bonheur qu'il se sentait gauche et gêné. Il avait à plusieurs reprises, docilement, pivoté sur ses talons, sous les cris admiratifs de ses sœurs. Embarrassé, il ne trouvait rien à dire et sa retenue avait créé un léger malaise. « Tu n'es pas content d'être de retour ? de nous voir ? » lui avait-on demandé et il avait menti, affirmant que c'était le plus beau jour de sa vie et qu'il était heureux, mais fatigué. Très fatigué. Pendant que la famille le ramenait à la maison par des rues laides et méconnaissables, il ne revoyait que celles de Paris qu'il n'aurait jamais dû quitter. Il avait la sensation d'être happé par ces femmes qui ne voulaient que le dorloter, le questionner, l'admirer.

Fred le savait. Compter les heures était futile. Sa vie s'était arrêtée le jour où, fatigué et affamé, apeuré par son quotidien de misère à Montmartre et sourd à l'amitié de Joe Bouffard qui l'hébergeait, il avait rangé ses tubes et son chevalet. Il avait le mal du pays, disait-il, et Joe, au début, avait cru à une crise passagère. Il l'exhortait à combattre : « Tu n'as pas traversé les horreurs de cette guerre pour t'écraser ici sous prétexte que ta peinture rapporte peu », lui disait-il. Mais Fred hésitait. Il ne savait plus. Ces mois avec Joe avaient été si audacieusement libres. Dès la Libération, il était venu à Paris avec l'espoir de peindre. Il avait rencontré Joe, un compatriote exilé depuis longtemps, l'aîné d'un groupe d'artistes faméliques dévorant la vie à coups de pastel, de sanguine ou de fusain. Il lui avait montré ses croquis tracés à la hâte, le dos appuyé contre les convois, et ses dessins qu'il avait faits, le soir, à l'avant ou à l'arrière des champs de bataille, selon la progression de son unité.

Joe l'avait accueilli avec respect, lui avait présenté ses amis qui étaient devenus les siens.

Les premiers temps, il avait flambé sa solde et ses économies pour acheter au prix fort des tubes de peinture et des victuailles pour le groupe, persuadé que son talent lui ouvrirait des galeries d'art et lui donnerait la notoriété. L'indifférence des marchands, voire leur mépris, à l'égard de ses paysages et de ses scènes de genre, avait lentement érodé son enthousiasme. L'inconfort de son atelier glacial et les toilettes au fond du jardin avaient eu raison de lui. La rareté de ses ventes le préoccupa jusqu'au jour où Joe dut l'héberger. Il ne savait plus comment orienter sa vie. Il ne désirait que peindre, mais la modernité des courants à la mode reléguait son travail au folklore. Surtout, la misère l'effrayait et l'effort qu'il lui fallait déployer pour survivre le paralysait.

— Tu ne mèneras jamais la vie dont tu rêves, lui avait prédit Joe, la veille de son départ.

— Peindre, cela se fait partout.

— Pas au Québec, Fred. Il faut une terre de liberté pour ne pas en mourir.

— Ici, dans ta terre de liberté, c'est de phtisie que meurent les artistes, avait-il protesté.

Il n'avait pas voulu avouer qu'il se trompait peut-être. Encore moins qu'il n'avait pas le courage de vivre selon ses idéaux. Il lui avait montré une photo de Lucienne et Joe l'avait mis en garde.

— Cette femme est un iceberg, Fred. Tu te trompes si tu crois être heureux avec elle, lui avait-il dit en lui rendant la photo.

Joe avait de ces intuitions! Fred n'était jamais retourné en Europe et n'avait jamais donné de nouvelles à Joe. Il n'avait encore rien fait de ce qu'il voulait faire et ses crises d'angoisse cachaient peut-être son incapacité et sa peur inavouables. « Un jour, s'entêtait-il à se dire, je rattraperai ma vie. »

Colette connaissait cette partie de sa vie. Mais elle l'aimait. Elle aimait croire qu'il aurait le courage de se prendre en main. Avec elle. Par elle. Son aveuglement lui faisait du bien, lui redonnait le goût de vivre. Il avait recommencé à peindre et suivi des cours, les avait abandonnés puis repris. Il doutait de continuer et son professeur l'avait encouragé avec trop de tiédeur pour ne pas remettre son talent en question. Cela l'avait blessé. Ce vieux prof entiché de modernisme ne connaissait rien et n'était pas digne de lui enseigner et d'avoir son argent. Il avait alors cessé de suivre ses cours, sans aviser personne.

Il tourna les pages, remuant des souvenirs encore inacceptables aujourd'hui. Malgré son auréole de soldat vaillant, prêt à mourir pour sauver l'humanité, il n'avait pas trouvé de travail. Il avait été au front durant quatre ans, mécanicien chevronné de Spitfire et son expérience ne lui avait même pas donné un *job* dans un garage. Ni ses médailles du reste ! Les postes dans l'aviation civile avaient été raflés par ses camarades revenus aussitôt après la guerre.

— La guerre est finie, mon vieux, lui avait dit son sergent. Les Spitfire, ils sont tous à la *dump*.

— Je peux travailler sur n'importe quel avion, John. *You know it damned well.*

— *Sure*, Fred. *You were the best.* Mais y a pas de place. *No job at all*, lui avait-il dit en lui demandant de lui laisser ses coordonnées. *You never know…*

John ne l'avait jamais rappelé et Fred avait erré en ville aussi démuni qu'un mendiant. Il n'avait pas les moyens d'étudier ni le cœur à peindre. Dans sa valise en toile brune sous le lit, l'huile séchait dans les tubes, ses croquis jaunissaient et ses peintures commençaient à craqueler. Heureusement qu'il n'avait pas la tuberculose, pensait-il, amer, en revenant les mains vides d'une entrevue pompeuse. C'est Lucienne qui lui avait déniché son premier emploi, comme représentant des brosses Fuller dont le directeur commercial était un ami d'une amie. Ce souvenir l'humiliait encore. Il se retenait de ne pas abattre son poing sur la table de travail et de lancer tous ses agendas à bout de bras contre les murs de son bureau de p.-d.g. Il avait réussi un parcours exemplaire. Il s'était acharné avec succès à tuer ses rêves.

La colère l'étouffait. L'angoisse de ne pas avoir le temps de commencer à vivre l'anéantissait. Il était mort un 10 avril, à son retour d'Europe, s'était marié un 10 avril. L'idée absurde de mourir une troisième fois un 10 avril, pour de bon, cette fois, lui traversa l'esprit. Il regarda d'un air hagard l'amoncellement de pages marquant un vide atroce. Il avait peur de dérailler, se commandait de réagir, tentait de se persuader que ces années valaient quelque chose. Ce qui n'était pas insensé. Son argent et son statut lui permettaient d'amorcer son œuvre sans subir les affres de la pauvreté, sans léser quiconque, en toute quiétude. N'était-ce pas l'idéal ?

« L'avenir m'appartient », se disait-il en replaçant les agendas dans leurs enveloppes. Il les rangea dans le coffre-fort en pensant qu'il fallait leur trouver un meilleur endroit. Il était 13 h 30. Colette l'attendait ; elle avait dû se faire belle pour lui. Il se dépêcha. Jetant un coup d'œil sur le bureau, il aperçut un dossier plein de coupures de journaux. « Ouf ! j'allais encore oublier cela », murmura-t-il en vidant le contenu dans deux enveloppes matelassées qu'il cacheta.

Il se recomposa un visage présentable, lança par bravade un « À la prochaine, Gauguin » et sortit de son bureau. Il salua Blanche de sa voix d'homme d'affaires assuré, lui demanda de faire parvenir ces enveloppes à

M. Pouchkine, l'avisa qu'il ne serait pas de retour avant 17 h et qu'elle devait agir en conséquence. Blanche lui sourit. « Le malheur s'est volatilisé », se dit-elle en le voyant partir d'un pas décidé.

IV

ALFRED PESTAIT CONTRE LE MANQUE DE PLACES de stationnement. « Quelle idée d'habiter un coin pareil, alors qu'il y a tant de tours d'habitation luxueuses », se disait il, exaspéré. Mais Colette s'entêtait à vivre dans ce Plateau, « chaleureux » affirmait-elle, « pouilleux » rectifiait-il et elle n'entendait pas déménager quand bien même il en paierait le loyer. Il se gara trois rues plus loin et marcha d'un bon pas, sans égard pour les passants qu'il bousculait. Il allait tourner le coin quand il faillit renverser une vieille dame, des jonquilles pleins les bras.

— Alfred Chaput ! s'écria-t-elle, surprise. Toujours aussi pressé d'aller nulle part ?

Il stoppa net, examina la dame, fouillant dans sa mémoire un nom qui lui échappait.

— Irène Bordeleau, enchaîna-t-elle vivement. La mère d'Hélène. Vous vous souvenez ?

— Mais oui... Mais oui, certainement, bégaya-t-il. Pardonnez ma distraction. Comment allez-vous ? Et Hélène ? Toujours aussi... aussi... aussi vive et énergique ? finit-il par demander.

La vieille femme le regardait malicieusement se dandiner niaisement. Son sourire accentuait le pli de ses rides et lui conférait un étrange air de jeunesse. « Cette femme a du caractère », se dit-il. Ses yeux rieurs...

— Ah ! Hélène ! s'exclama-t-il un peu gêné...

— Ne vous excusez pas, cher Fred, Hélène n'aurait pas fait mieux, dit-elle en s'esclaffant. Elle va bien. Elle est mariée, a deux enfants...

— Je suis bien content pour elle...

— Moi aussi. Voyez-vous, j'ai pour mon dire que dans la vie, plus tôt on fait l'expérience des salauds, mieux on est paré pour reconnaître leurs semblables et les éviter. Vous n'êtes pas de mon avis, cher Fred ?

— Certainement, répondit-il, estomaqué. Vous me voyez ravi d'avoir rendu ce grand service à votre fille. Mes hommages, madame, ajouta-t-il en s'inclinant. Et dites bien le bonjour à votre fille.

Fred s'éclipsa, d'un air digne, refoulant son humiliation, étonné d'avoir autant effacé Hélène de sa vie. De désagréables souvenirs lui revenaient, son corps trop grand, son rire hystérique parfois, son plaisir à l'obstiner, sa sensualité gloutonne qu'il croyait ne jamais satisfaire. « Que je ne comblais sans doute pas, malgré ses miaulements de nymphomane », s'entendit-il grommeler. Hélène qui le harcelait pour qu'il divorce alors que lui, il le savait bien qu'ils n'étaient pas faits pour être ensemble, qu'il ne pouvait être heureux avec elle. Elle l'aurait étouffé de ses besoins tentaculaires.

Il arriva devant chez Colette, le cœur criblé de mauvais souvenirs. Le miroir de l'entrée lui renvoya ses traits tirés, ses poches sous les yeux encore imbibés d'alcool. Il se regarda attentivement, lissa ses cheveux et replaça sa cravate. Il s'exerça à prendre une mimique qu'il voulait jeune et sensuelle. Il n'était sûrement pas Dorian Gray, se prit-il à penser, et les mots d'Oscar Wilde lui traversèrent l'esprit : « Rien, sinon les sens, ne peuvent guérir l'âme, comme rien, sinon l'âme, ne peut guérir les sens. » Le hic, c'est qu'il avait mal partout. « Colette y verrait », se dit-il pour se réconforter avant de monter les trois étages à pied, lentement, pour ne pas s'essouffler. « Et si ma rencontre avec Irène Bordeleau était un présage », pensa-t-il, encore perturbé, en sortant ses clefs.

Le solo de jazz assourdissait ses pas déjà amortis par la moquette. À l'entrée du salon, il s'apprêta à lancer un bonjour retentissant, mais se figea. Devant la fenêtre, le visage offert au soleil, Colette se tenait debout, moulée dans sa robe d'intérieur, un genou légèrement fléchi entrouvrant les pans de sa robe jusqu'à la cuisse. La beauté immobile de Colette, palpitante dans la musique de Louis Armstrong, si présente et lointaine, le bouleversa. Il l'observa, soudain gauche et intimidé, attristé de ne pouvoir rendre la nonchalance passive de son attente, l'abandon de son regard voguant là où il n'entrerait jamais, l'ambre de sa peau frémissant à des émotions qu'il ne connaîtrait pas. Il la contemplait, relégué au rivage de son désir. Il eut envie de hurler, de briser les tenailles de son envoûtement, mais ne broncha pas. Il s'imprégnait des formes de son modèle. Ses yeux naviguaient sur le fin liseré galbé d'or, glissaient sur l'arrondi du ventre, remontaient l'arête des seins fermes, survolaient la gorge ombragée et se posaient, vacillants, sur le visage livré à la chaleur du soleil.

La musique semblait la caresser, l'envelopper avec volupté, la lui ravissait. C'était si insupportable qu'il cria : « Je suis là ! en la faisant sursauter. L'image s'effrita, mais déjà Alfred l'enlaçait. Il l'embrassait, agrippé aux courbes soyeuses de ses hanches. L'embrassait et la repoussait pour mieux l'examiner, maintenait sa tête relevée, les mains autour de son cou. Il la regardait avec passion, à la recherche de ses pensées et de ses frissons qui lui échappaient, misérablement jaloux de Louis Armstrong. Il avait si follement cru la perdre. Colette l'interrogeait du regard. Dans le sombre de ses yeux brillait l'angoisse intolérable, presque démente, de son impuissance. Aucun de ses croquis ne révélait autant d'intensité. Il ne parvenait toujours qu'à frôler, impitoyablement, l'extase. Il voulait la posséder, lui imprimer ses joies et ses désespoirs, moduler son cri jusqu'à la plainte extrême de son plaisir. « Viens ! » lui ordonna-t-il en l'entraînant vers le divan. Il écarta ses mains tendues vers les boutons de sa chemise, « plus tard », murmura-t-il et ôta sa veste et sa cravate. « Viens là », lui souffla-t-il en la plaçant délicatement sur les coussins, telle une statuette précieuse dans un écrin de velours. Il s'agenouilla.

Il promenait ses lèvres sur ses mollets, sillonnait le galbe de sa jambe, remontait pour mieux chuter au creux de son entrecuisse, attentif aux frémissements de vie. Il prenait son temps, choisissait des chemins de traverse, empruntait des détours, goûtait le plaisir de l'attente et le sel de sa peau parfumée. À l'écoute de son gémissement et guidé par les mains de Colette enfouies dans sa chevelure, il mordillait sa chair ferme, flânait et dérapait, enivré par son odeur douce-amère de sève qui aiguisait sa soif. Il se lovait à l'orée de l'abîme, se désaltérait à la source au goût de pain d'épices coulant de l'alcôve sombre, s'emparait, affamé, de l'amande écalée appâtée au bout de ses doigts de sirène. Ils tanguaient, accordés au balancement houleux déchirant leurs corps. Alfred, entendant sourdre son cri de victoire, faisait demi-tour, s'échappait à la lisière, puis revenait au creux de la crevasse, s'y enfonçait, langue happée par des parois vivantes qui l'aspiraient, l'expulsaient vers des lèvres à mordre, un fruit à croquer, à lécher, à dévorer jusqu'au cri éraillé de Colette enfin terrassée.

La tête appuyée contre sa *toison d'or*, Alfred caressait lentement ses cuisses, murmurait des mots d'amour entrecoupés de baisers, ramenant au calme son corps traversé de spasmes. Patient, sa peur matée de nouveau, il savourait sa conquête, croyant s'être approprié cette pulsion vitale qui manquait à son œuvre. Son pénis lui faisait agréablement mal. Il se releva, contemplant le visage radieux de Colette, ses formes alanguies, et l'entraîna vers la chambre à coucher.

La douceur de sa main raffermissait son sexe, le dénudait, gonflé et violacé. Brûlure que Colette attisait et apaisait au gré de sa fantaisie. Elle s'amusait à l'amener aux frontières du paroxysme et à l'y abandonner, secoué de tremblements qui s'évanouissaient jusqu'à ce tressaillement annonciateur de caresses renouvelées. Colette le reprenait fermement, l'emprisonnait dans un mouvement de marée, l'entraînait au large, loin des balises et des bouées, sur un tumulte de vagues qui lui arrachait des gémissements. Colette le torturait, opposait à son immense désir d'écumer un temps d'accalmie, commandait aux flots de s'apaiser, leur faisait barrage en le ramenant au doux bercement liquide. Encore pantelant, Fred sentit une lame de fond le soulever, l'enrouler au chaud, le repousser et l'attirer, impétueusement, infiniment, avant de le rejeter sur le rivage, épave soudée au corps de Colette. « Aime-moi. Prends-moi », lui dit-il en la tirant sur lui, haletant. Colette pivota sur son sexe, l'enfouit par secousses voluptueuses. Elle le montait au pas, flânait le long d'un sentier ombragé en s'abandonnant au plaisir de musarder, pressait le mouvement au rythme de ses « oui » ondoyants. À l'appel de la steppe, elle accéléra des reins la cadence et pénétra dans la vaste plaine en l'éperonnant. Ils galopaient, narines écartées et souffle saccadé, fonçaient droit devant, rivés à l'âcre odeur de la peau ruisselante, dans un tourbillon de lichens arrachés et de grondements sourds. Colette l'emporta jusqu'au plongeon dans l'abîme sauvage où ils s'effondrèrent, enlacés, corps et cris jumelés. Le calme revenu, elle roula sur le côté en éjectant Fred qui eut froid. « Fais-moi penser de te parler de Boston », lui dit-il d'une voix déjà somnolente.

V

LUCIENNE MARCHAIT D'UN PAS ORDINAIRE, surprise qu'il fasse si chaud. Elle commençait à transpirer et ôta ses gants qu'elle garda enroulés dans la paume de sa main. Les gens remarqueraient qu'elle avait ainsi tous les accessoires convenant à son tailleur. Au bout de la deuxième rue, elle héla un taxi en suivant ce principe, inexplicable à son entourage, qu'un chauffeur n'avait pas à la cueillir à la maison et à connaître son adresse. Au retour, elle se ferait conduire à une adresse quelconque, plus ou moins proche de sa demeure, selon le temps qu'il ferait. L'hiver, elle évitait de sortir et recevait beaucoup.

— Au Ritz ! ordonna-t-elle.

Par son rétroviseur, le chauffeur la voyait passer en revue les maisons cossues de la Côte-Sainte-Catherine, puis les appartements plus modestes de la rue de Bleury, telle la reine Elizabeth, ses troupes. Rue Sherbrooke, un embouteillage l'obligea à bifurquer, mais Lucienne n'en avait cure. Elle arriverait suffisamment en avance pour ne pas être en retard. Elle agissait toujours ainsi quand Germaine lui donnait rendez-vous au Ritz. Elle arrivait tôt, s'assoyait dans un fauteuil au fond du *lounge*, face à l'entrée, et sirotait un Cinzano sur glace en feignant de lire son *Time*. Elle aurait bien aimé imiter les Anglaises et boire un cocktail plus *fancy*, mais son aversion pour le gin et les alcools forts le lui interdisait. Elle se rabattait donc dignement sur un apéro classique et de bonne tenue.

Elle attendait Germaine en suivant les allées et venues des gens, éprouvant un double sentiment de dépaysement et d'appartenance qui lui plaisait. Elle était heureuse. Autour d'elle, le *lounge* se remplissait d'hommes bien habillés et de femmes chics. Elle tendait discrètement l'oreille, incapable de tout comprendre, mais ravie de constater ses merveilleux progrès en anglais. Elle était fière d'être là, intimement associée à la classe des privilégiés. Et d'avoir le loisir de vérifier les coiffures seyantes et les dernières tendances vestimentaires. C'est ce qui l'amena à ranger rapidement ses beaux gants de chevreau dans son sac. Un tel étalage ne semblait plus de mise et elle le regretta sincèrement.

Germaine arriva, essoufflée, pressée et vive. Elle salua d'une bonne poignée de mains deux hommes qui discutaient ferme et s'excusa en désignant sa sœur. Lucienne admira son allure décontractée, son assurance de célibataire et de femme d'affaires, son aisance mondaine. Les visages se tournaient sur son passage, les hommes s'empressaient de la complimenter et de flirter, parfois cavalièrement. Autant l'une était remarquée, autant l'autre se confondait avec le décor, pensa-t-elle avec un pincement au cœur. Les deux sœurs s'embrassèrent, Germaine s'excusant de son retard, Lucienne l'assurant que ce n'était rien, et elles se dirigèrent vers la salle à manger.

Germaine avait réservé leur table habituelle, le long des fenêtres donnant sur le jardin, et cette attention lui fit grand plaisir. Elle aimait ces habitudes qui confinaient au rituel, ces témoignages qui prenaient valeur de tradition. Cette façon aussi qu'avait Germaine de s'approprier les gens et les choses comme un dû.

— Tu n'as pas l'air en forme, remarqua Germaine au départ du serveur.

— Mais non, ça va, dit-elle laconiquement.

— Voyons, Lucienne. À d'autres ces simagrées. Maintenant, raconte-moi ce qui m'a valu ce coup de téléphone si tôt le matin.

Lucienne mangeait du pain. Elle était comme cela, Germaine, sans préambule oiseux, directe et vigilante par déformation professionnelle. Lucienne ne savait comment expliquer son malaise et craignait de voir sa sœur prendre cet air protecteur et condescendant qui la diminuait.

— C'est Fred ?

— Oui... Oui et non...

— Il a une nouvelle maîtresse ?

— Mais non. D'ailleurs, tu sais bien que cela ne me dérange pas.

— Disons que tu préfères croire à cela.

— Tu n'y es pas, Germaine. Combien de fois devrai-je te répéter que cela ne me touche pas ?

— Tant qu'il ne tombe pas amoureux...

— Fred est incapable de...

— Et sa Colette...

— Justement. Il en a été follement amoureux, sans me quitter pour autant...

— C'est bien vrai. Mais avoue qu'il est passé tout près et que rien n'est acquis.

— Il en sera toujours ainsi, Germaine. Et tu sais pourquoi ? Parce que je le laisse libre de faire ce qu'il veut. Tu crois que sa Colette lui laisserait autant de corde sans lui demander des comptes ? Jamais ! Surtout s'il est devenu un expert ès sexualité, ce dont, entre nous, je doute. Il n'était pas doué, mon Alfred... Mais bon, passons... Ce que je veux dire, c'est qu'il serait obligé de lui justifier tous ses retards et ses absences...

— Cela ne veut pas dire que...

— Fred ne fera jamais le saut. Je le connais. Il a besoin de rêver et je lui laisse ses rêves. En échange de quoi nous formons, socialement, un couple exemplaire. Il a ses fantasmes, j'ai ma maison. Il a ses affaires, j'ai mes loisirs. Un point c'est tout.

Germaine n'en revenait pas. Lucienne était d'une telle lucidité et d'une telle froideur comptables, parfois. Cet aspect de sa personnalité détonnait de son image de femme terre à terre un peu bebête, genre bobonne replète au foyer, et la déroutait toujours. Elle n'était pas sûre de la croire, mais préféra changer de sujet et lui redemanda la raison de son appel. Lucienne lui parla de l'odeur d'alcool de Fred et de son rêve d'enfant, oui, oui, le même. Enfin presque. Un élément nouveau la perturbait. Elle voulait savoir quelque chose que la mère devait savoir.

— Lucienne, ça suffit, l'arrêta Germaine. Il a été convenu que nous ne parlerions plus de cette époque. Qu'as-tu à toujours ressasser le passé ?

Germaine était excédée. Sa sœur ne l'avait quand même pas réveillée à cause de ce sempiternel rêve ! Elle faillit lui conseiller de se prendre un amant, au lieu de se raconter des chimères, mais elle se ravisa. Lucienne avait vraiment un air troublé.

— Mais qu'est-ce que tu veux au juste ?

— Que tu en parles à la mère.

— Quoi ?

— Tu lui en parles ou tu lui dis que je veux lui en parler. C'est simple, je veux savoir qui sentait le savon parfumé le soir de l'arrestation du père.

Germaine la regardait, fascinée et incrédule, et pesta contre la lenteur du service. Elle avait l'impression d'être assaillie par des forces maléfiques, ou que sa sœur devenait folle. Lucienne la sortit de sa stupeur en lui demandant des nouvelles de la santé de leur mère.

— Bien, sa santé est bonne...

— Elle va toutes nous enterrer, tu vas voir. Mais avant qu'elle ne meure, je veux la voir. Dis-le-lui.

— Lucienne, tu sais bien que...

— Germaine, ça fait des années que tu joues à la grande avec moi, que tu me protèges. Je me rappelle. Je devais avoir quatre ou cinq ans, je voulais absolument apporter mon ourson. Je le tenais si fort que son nez s'était aplati. Tu te souviens?

Oh oui! qu'elle s'en souvenait de cet ourson qu'elle avait mis dans ses propres affaires, abandonnant sa boîte à musique. Lucienne s'était blottie contre elle, les bras autour de sa taille, si heureuse. Mais Germaine ne voulait pas revenir en arrière. Elle avait appris à vivre avec ces zones d'ombre et le peu qu'elle savait lui suffisait. Elle avait bâti sa vie et menait l'existence qu'elle avait souhaitée, sans entraves. Après son cours de secrétariat, elle avait étudié la comptabilité et travaillé chez Bell, d'abord, puis comme commis comptable dans une entreprise pharmaceutique. Elle avait monté les échelons. Avec ses premières économies, elle avait acheté des actions du CP. Elle n'avait fait que cela, travailler, investir, faire fructifier ses investissements. Voyager aussi. S'offrir les meilleurs hôtels, les bonnes tables, les concerts et le théâtre. Depuis deux ans, elle aidait sa mère à administrer ses biens. Un choc! Elle s'était crue futée, alors qu'elle faisait figure de novice devant la mère. Et encore ne connaissait-elle qu'une partie des affaires seulement. Et voilà que Lucienne se ramenait avec son ourson et ses histoires anciennes, demandait à voir la mère qui lui avait fermé sa porte depuis une bonne quinzaine d'années!

— Tu me demandes l'impossible, répondit Germaine d'une voix cassée.

— Laisse la mère en juger. Fais-lui le message, c'est tout ce que je te demande.

— Et cela va te mener où ?

— Peut-être à comprendre pourquoi elle m'a rejetée, comme Armande.

— Tu le sais pourquoi elle a agi ainsi. Cet homme dont tu t'étais entichée risquait de nous mettre en danger. La sécurité du clan passait avant tout.

— Votre maudite sécurité ! Celle de la mère ou la nôtre ? s'écria Lucienne. À la table d'à côté, les dîneurs les regardaient de biais. Et ma sécurité à moi, qu'est-ce que tu en fais, hein ?

— C'est la même chose, Lucienne.

— Vous déraillez toutes. Et Armande ? Est-ce que la mère sait ce qu'elle est devenue ? Où elle habite ? Si elle a des enfants ?

Le serveur apporta enfin les entrées. Lucienne attaqua son œuf en gelée avec rage. Germaine, poivrant son saumon fumé, l'obligea froidement à baisser le ton et à cesser de se donner en spectacle. Elle cherchait à gagner du temps. Elle ne pouvait lui révéler que la mère avait toujours gardé contact avec Armande, par l'entremise de Ludger-le-Phoque qu'elle avait au début grassement payé pour veiller sur elle. De même qu'elle savait tout de Lucienne. Germaine ignorait les détails qui avaient poussé la mère à s'échapper, la dernière fois, il y avait déjà plus de quinze ans et, à bien y réfléchir, elle ne souhaitait pas les connaître.

— Cela peut te paraître idiot, mais la mère a toujours agi pour notre protection, affirma-t-elle.

— Laquelle ? J'ai épousé un homme que je n'aime pas et je mène une vie agréable. Ma protection ? C'est à Fred que je la dois. S'il me quittait, je perdrais tout :

mes meubles, mes fleurs, mon chalet et mon rang social. Tu penses que la mère peut me protéger contre cela ?

Lucienne pleurnichait devant une Germaine visiblement mal à l'aise. Elle avait horreur de ces esclandres dans les lieux publics. Au Ritz, de surcroît, au milieu des Anglais qui devaient mépriser leur manque de savoir-vivre. Sa sœur, mère au foyer, épouse dépensière et cuisinière hors pair pour les dîners d'apparat, cherchait quelque chose qu'elle n'arrivait pas à saisir. Sa mère s'était-elle trompée ? À vouloir tant la protéger, n'avait-elle réussi qu'à l'étouffer ?

— Tu crois que tu aurais été plus heureuse avec ce... Comment s'appelait-il déjà ?

— Augustin.

Germaine tressaillit. Ce prénom, il lui semblait l'avoir vu dans les livres de comptes de sa mère, elle aurait pu le jurer.

— Oui, avec Augustin ? lui demanda-t-elle. Tu aurais été prête à quitter Fred pour lui ?

— Peut-être, sans doute. S'il avait voulu de moi. Si la mère n'avait pas...

— Tu l'as revu ?

— Jamais. Il est parti sans explications. Pas un mot. Pas une lettre.

Elle avait cessé de pleurer et semblait ennuyée, comme accoutumée à sa peine.

— Tu l'aimes encore ?

La question directe sembla la réveiller par surprise. Lucienne balbutia qu'elle n'en savait rien. Oui, elle pensait souvent à lui, mais comment savoir ? C'était si loin et la mère avait tout fauché avant l'éclosion de leur bonheur. Elle pouvait toujours rêver à ce qui aurait pu être, mais préférait ses certitudes. Elle avait été bien avec lui. Ils partageaient les mêmes goûts. Il avait eu pour elle de ces petites attentions qui ne viendraient pas à l'esprit de Fred.

— Et cet homme a disparu après que tu l'aies présenté à la mère ?

— Oui et non. Elle ne l'a jamais vu...

— Quoi ? Je croyais que tu l'avais amené à la maison, qu'elle n'acceptait pas que tu divorces...

— C'est ce qu'elle t'a dit ?

— Non. Elle n'en a jamais parlé. J'en ai déduit une querelle entre vous trois.

— Elle ne l'a jamais vu, Germaine, dit-elle d'un ton désespéré. Comment pouvait-elle en juger ? Quand nous sommes arrivés à la maison, elle n'y était pas. Elle a téléphoné pour s'excuser de son absence. Nous sommes repartis, Augustin m'a dit au revoir et il s'est éclipsé à tout jamais.

— Alors, qu'est-ce que la mère a à faire dans tout cela ? demanda Germaine, un peu lasse.

— Sa voix, Germaine. Une voix apeurée, brisée, presque méconnaissable...

— L'ennui de ne pouvoir être là, sans doute.

— Non. Je suis toujours restée avec l'impression qu'elle avait eu peur d'Augustin. Je sais. C'est inexplicable. Et idiot. Il était si doux, si prévenant et blagueur. Cela m'énerve. Pourquoi a-t-elle eu si peur d'un homme qu'elle ne connaissait pas, au point de déménager le lendemain et de couper tous les liens avec moi ?

— Tu as trouvé la réponse ?

— Non. J'ai pensé, un temps, qu'elle était cachée dans la maison, l'avait vu et s'était enfuie par la porte arrière sans...

— Ma pauvre Lucienne, tu fabules. C'est un roman policier que tu t'inventes, se moqua-t-elle gentiment.

— Ris tant que tu voudras, mais je suis certaine d'une chose : la mère savait qui était Augustin et je veux le savoir moi aussi.

— Parce que tu ne sais pas qui était ton amoureux?

— Tu refuses de comprendre, Germaine. Je dis simplement que j'ai aimé un homme qui connaissait notre passé et la mère a déguerpi.

— Qu'est-ce qui te fait croire qu'il connaissait notre passé?

— Je le sais...

— Il te posait des questions sur nous? demanda-t-elle, soudain alarmée.

Lucienne sentit l'inquiétude chez sa sœur et voulut la rassurer.

— Pas besoin de prendre ce ton de panique, dit-elle avec dédain. Je ne l'ai plus jamais revu.

Les plats principaux étaient servis. Lucienne entama sa poitrine de poulet avec une fausse désinvolture. Elle avait trop parlé. Germaine avait toujours appuyé les décisions de la mère. Le clan était sacré, sa protection, fondamentale. Germaine avait la sensation que le sol se dérobait sous ses pieds. Elle regarda la salle, les couverts en argent, les lustres, les nappes blanches descendant jusqu'au tapis, l'immense bouquet de fleurs naturelles au centre, le va-et-vient des serveurs stylés, les dossiers des chaises capitonnés, les dîneurs confortablement assis, un verre à la main. Rien n'avait bougé. Personne n'avait crié. Rien ne troublait la rumeur confuse des conversations. Le tremblement de terre surgissait de sa propre faille, mis en activité par l'inconscience de sa sœur. Ah! Elle pouvait bien se targuer d'être indifférente aux tromperies de son mari. Il fallait qu'elle en sache davantage, que Lucienne lui raconte tout, afin de mesurer l'étendue réelle du danger qu'elle sentait poindre. N'était-elle pas, désormais, responsable de la famille? Elle se fit compatissante, compréhensive.

— Tu as dû l'aimer à la passion, ton Augustin, pour m'en parler après tant d'années. Au fond, cela me soulage de savoir que tu as déjà été amoureuse. Il devait être quelqu'un de bien, dit-elle avec chaleur.

— Il était merveilleux. Si beau aussi. Empressé et doux, souffla-t-elle, émue, en se laissant aller à la confidence. Il aimait la glace au chocolat, le cinéma, les fleurs et le patinage. Comme moi. Et patient en plus. Il pouvait m'écouter sans m'interrompre, tant que cela me gênait parfois. Je lui demandais si je l'ennuyais, mais il disait toujours non. Il m'encourageait à parler. Je le faisais rire avec mes histoires. Par moments, je voyais bien qu'il pensait à autre chose, mais cela ne durait jamais longtemps.

— Il devait être meilleur amant que Fred…

— Germaine ! Voyons…

— Tout de même… entre sœurs…

— On n'a jamais couché ensemble, si c'est ce que tu veux savoir. Il me respectait trop, qu'il disait. Il ne m'a jamais demandé de divorcer non plus. Nous n'en parlions pas. Ça, ce sont des histoires que la mère a inventées.

— Il ne devait pas être prêt à s'engager.

— Moi non plus. C'était trop beau, que je me disais. Un homme comme lui, ce n'était pas pour moi. Il ne voulait pas nuire à ma réputation, surtout auprès d'Hector.

Lucienne s'était pincé les lèvres, mais Germaine avait été prompte à s'exclamer : « L'oncle Hector ? » Lucienne baissait la tête en signe d'assentiment. Elle venait de gaffer et en éprouvait un curieux sentiment de malin plaisir, tel l'enfant qui rit sottement de son merveilleux mauvais coup. Dans l'esprit de Germaine, tout sonnait l'alerte rouge et stridente. La mère ne lui avait jamais parlé de cela. Et le nom d'Augustin, elle en était persuadée maintenant, faisait partie de la liste de paie de la famille. Liste ahurissante que sa mère avait balayée du revers de la main en disant : « Tout le monde a un prix, Germaine. Il s'agit de l'évaluer à sa juste valeur, comme à ta bourse, et de savoir quand acheter, à quel prix et pour quel risque. » Quant à l'oncle Hector, il avait été jusqu'à tout récemment un personnage mythique, une sorte de héros doté de pouvoirs magiques. Toutes les sœurs connaissaient l'histoire cent fois racontée par leur mère. Il était son frère cadet. Le seul à lui avoir donné un coup de main quand la famille l'avait bannie pour avoir épousé son vaurien d'Auguste. À la première arrestation du père, avec Armande dans les bras, elle était retournée chez ses parents qui l'avaient chassée. Elle avait voulu épouser ce truand bellâtre et coureur de jupons, contre leur gré, elle devait maintenant en accepter les conséquences. Elle était repartie à pied. Hector, qui n'avait que douze ans à l'époque, avait couru derrière elle à travers les champs. Il lui avait donné du pain, quelques sous et son plus beau sourire édenté. Et lui avait promis de l'aider, quand il serait grand.

Hector faisait partie des souvenirs opaques de leur passé. Il était le protecteur invisible d'un clan en errance. Quand les filles passaient des remarques acerbes sur les garçons, la mère les reprenait.

— Pas tous les hommes. Hector n'est pas comme cela et des Hector, vous verrez, il y en a d'autres dans le monde, disait-elle comme pour leur insuffler l'espoir d'un monde meilleur, équilibrer les mauvais coups de leur père.

Depuis qu'elle s'occupait des biens de la mère, Germaine travaillait régulièrement avec Hector. Lui non plus n'avait jamais mentionné le nom d'Augustin. Germaine flairait le danger. Elle ne voulait pas perdre pied. Elle se donna une contenance pour ne pas effaroucher sa sœur et lui soutirer son secret.

— Hector ! s'exclama-t-elle de nouveau. L'oncle

Hector ! Moi qui ai toujours cru qu'il faisait partie des lubies de notre mère.

— Tu te trompes, Germaine. Il existe. Augustin le connaissait.

Lucienne hésita. Elle ressentait le besoin de tout dire à Germaine, par bravade et par calcul. Peut-être réussirait-elle à montrer à son aînée qu'elle était capable d'actes héroïques et obtenir ainsi une rencontre avec la mère ? Germaine, elle le voyait bien, s'intéressait à elle. Lui témoignait une attention curieuse, l'air de dire : « Eh bien, vas-y ! Essaye de m'épater ! »

Les deux sœurs commandèrent des desserts et une pleine carafe de café. Lucienne succomba à la tentation de lui parler de son amour. Son histoire était si inouïe que son invraisemblance fit d'abord douter Germaine de sa véracité, puis l'amena progressivement à y croire jusqu'à la chair de poule. Germaine mastiquait minutieusement ses profiteroles pour qu'elles ne lui restent pas en travers de la gorge, comme l'inquiétante naïveté de sa sœur.

Tout avait débuté à leur arrivée à Montréal alors que Lucienne s'était mise en tête de retrouver l'oncle Hector. À l'école, elle s'était liée d'amitié avec Judith, la grande blonde qui riait si fort et avec qui elle allait dans les magasins tous les samedis. Mais voilà ! Au lieu de magasiner, Lucienne avait fait le relevé de tous les Beaudette habitant sur l'île, à partir des annuaires téléphoniques et des Lovells consultés à la bibliothèque municipale. Une fois sa liste complétée, elle avait commencé à rendre visite à chaque famille.

Elle rencontrait Judith au centre-ville qui lui remettait ses achats du jour en échange de son argent, puis elle allait frapper chez les gens en se faisant passer pour une représentante. Ainsi, pendant des mois, tantôt vendeuse de cosmétiques, de rubans et de barrettes, de shampoings ou d'autres colifichets, selon les goûts de son amie qui suivait la mode, elle mena discrètement son enquête.

— Ah ! Beaudette, disait-elle innocemment. J'ai déjà connu un Hector Beaudette.

— Hector, le fils à Télesphore ou à Adrien ?

— J'en sais rien. Celui à Télesphore, il aurait quel âge ?

— Un bon gros soixante ans, hein Marie-Ange ?

— Ben, ça peut pas être lui. Le Hector que je cherche, il devrait avoir entre vingt-cinq et trente ans.

— Alors c'est pas non plus le Hector à Adrien. Lui, il a huit ans, hein Marie-Ange ?

Elle revenait souvent bredouille, rayait de sa liste la famille visitée, ou notait des renseignements dignes d'être considérés, du moins analysés et comparés avec d'autres. Tout ça fonctionna un temps, mais les gens devinrent de plus en plus réticents. Peut-être s'étaient-ils rendu compte qu'elle ne sonnait que chez les Beaudette, jamais chez les voisins d'en face ou d'à côté ? Et le monde est si petit... Enfin, l'entrée en guerre du Canada ruina ses espoirs. Les gens n'ouvraient plus aux étrangers, fussent-ils une jeune fille, et beaucoup de familles déménagèrent.

Germaine l'écoutait patiemment. Elle avait du mal à imaginer sa sœur frappant aux portes avec trois barrettes dans un sac. Aussi, sa recherche d'Hector n'avait aucun sens, mais elle se garda bien de le lui dire.

— C'est comme cela que tu as fait la connaissance d'Augustin ?

— Non, non. J'y arrive. Augustin, je l'ai connu par hasard, en 1942, à une épluchette de blé d'Inde chez les parents du fiancé de Judith à Repentigny.

Germaine leva les sourcils. À cette époque, Lucienne servait de chaperon à Judith, pour empêcher les qu'endira-t-on. Le dimanche après-midi de l'épluchette, les jeunes jouaient aux fers quand quelqu'un prononça le nom de Beaudette. Par réflexe, Lucienne avait mentionné celui d'Hector et un gars l'avait répété en direction d'une table à l'écart. Un homme avait répondu :

— Il n'est pas ici Hector. Qui le demande ?

— Lucienne Lalonde, l'amie de Judith.

L'homme s'était levé aussitôt en venant dans sa direction.

— Augustin Taillefer, pour vous servir, mademoiselle, avait-il poliment dit, sous les sarcasmes des jeunes qui la mettaient en garde contre ce beau vieux parleur.

— Je n'avais jamais vu si bel homme, Germaine. Avec des manières, un regard bleu et tristounet. Des mains fines et longues. Pas des mains calleuses de cultivateur ou d'ouvrier. Une voix douce et gaie. Des cheveux noirs, mais noirs ! Avec quelques fils gris aux tempes. Si tu savais comme il était séduisant ! Quelle prestance il avait et avec quel étrange intérêt il posait les yeux sur moi, perplexe, à m'en faire rougir. Je crois bien en être devenue amoureuse ce jour-là, soupira-t-elle.

— Et lui ?

— Il m'a fait quelques compliments et me tournait autour avec réserve, comme pour damer le pion aux jeunes qui le niaisaient. Il m'a demandé ce que je lui voulais, à son ami Hector. Si c'était bien le fils d'Alphonse de Joliette. Au mot « Joliette », j'ai dit oui, que ce devait être lui. J'étais exaltée. Tu t'imagines ! Un ami de l'oncle ! Oh ! ma joie de rencontrer quelqu'un qui pouvait me mettre sur sa piste. Ma déception aussi. Il n'avait pas vu Hector depuis longtemps. Aux dernières nouvelles, il était aux États-Unis. Mais peut-être en était-il revenu ? Il m'a demandé où il pouvait me joindre, mais je n'ai pas osé lui donner mon adresse. À cause de la mère, mais surtout parce que je ne voulais pas paraître une fille facile.

Au retour, Judith et son fiancé l'avaient taquinée sur ses charmes « dévastateurs », l'Augustin ayant passé son temps à la reluquer mine de rien. Ce qui n'était pas son genre, disaient-ils. Lucienne s'offusquait pour la forme, mais goûtait au plaisir de se faire dire, même en riant, qu'elle avait du charme, du moins assez pour intéresser ce bel homme qui en avait vu d'autres. Elle s'était sentie si excitée qu'elle n'en avait pas dormi. La sensation des doigts d'Augustin sur sa main semblait indélébile. Une pression douce et ferme, ciselée comme un bijou émaillé offert à l'aimée en gage de bonheur. Le jour suivant, elle avait failli s'évanouir en le voyant l'attendre à la sortie du cours, des fleurs à la main. Mais elle n'avait pu lui parler longtemps et ils s'étaient promis de se rencontrer le lendemain, même place, même heure. Ils s'étaient alors promenés puis arrêtés dans un restaurant. Il voulait tout connaître d'elle. Savoir d'où elle venait, si elle avait encore de la famille. Si l'école lui plaisait. Elle lui avait menti, fidèle à la tradition du clan, et raconté l'histoire vraisemblable que Judith connaissait déjà. De mentir ainsi l'avait torturée. Elle se disait qu'il n'aurait jamais confiance en elle le jour où il saurait, ou devinerait, ses demi-vérités. Il s'était montré poliment intéressé, lui avait pris le bras pour la reconduire un bout de chemin. Elle ne l'avait plus revu. Même le fiancé de Judith ne savait où il était.

— Il est comme cela, l'Augustin. Il vient, il part, librement. Crois-moi, tu l'as échappé belle au dire des parents.

Mais Lucienne pleurait. C'était trop beau, un homme comme lui avec une fille aussi banale qu'elle. Judith se maria et l'Augustin n'était pas à la noce.

Germaine patientait. Les inflexions dans la voix de sa sœur, ses regards en biais, la nervosité avec laquelle elle faisait tourner sa cuiller dans sa tasse vide traduisaient son émotion à parler de son Augustin, mais ne lui révélaient pas la raison pour laquelle elle recherchait Hector. Une idée folle traversa l'esprit de Germaine.

— Oh ! non, échappa-t-elle.

Mais Lucienne, toute à ses pensées, enchaîna :

— Oh ! oui. Je l'adorais et j'avais le sentiment de le connaître depuis toujours.

Elle le voyait partout, quittait l'école en larmes ou remplie du désir de le surprendre, là, au coin de la rue, un bouquet de fleurs à la main.

Entretemps, elle avait fait la rencontre d'Alfred avant son départ pour le front et lui avait remis la photo qu'elle avait fait prendre pour l'Augustin. Elle l'aimait bien, Alfred. La suite, Germaine la connaissait. Elle était restée sur le carreau jusqu'au retour d'Europe de Fred. Ils s'étaient fréquentés et finalement mariés.

Elle avait revu Augustin des années plus tard, au parc. Sa fille Francine avait sept mois. C'était une de ces journées torrides où Montréal s'engourdissait dans la moiteur de la canicule. Elle était assise à l'ombre timide d'un saule pleureur aux branches malingres et immobiles. Francine, à bout de larmes, avait fini par s'endormir, à céder au poids de l'après-midi interminable. Un homme s'était avancé lentement vers elle, mais elle n'y avait pas prêté attention, tout occupée à respirer l'air stagnant, les yeux à demi fermés. Il s'était assis sur le banc qu'elle occupait et elle s'était sentie agressée par sa présence, comme s'il lui ravissait les molécules d'oxygène qu'elle captait avec tant de difficulté. L'inconnu ne prenait pourtant pas une grande place et respirait péniblement, tant que Lucienne craignit qu'il ne fasse une syncope. Elle tourna la tête vers l'homme, leurs yeux se croisèrent. Elle s'était exclamée : « Augustin ! » le souffle coupé. Il l'avait regardée avec étonnement, cherchant à la reconnaître sans l'insulter. Ses yeux tristounets l'examinaient sans grande curiosité. Un regard ordinaire posé sur une mère alourdie, rouge et suffocante de détresse. Elle s'était excusée, bredouillant : « La chaleur est insupportable » en s'épongeant le front.

Lucienne essayait de parler d'une voix dégagée, aussi distanciée que ses souvenirs. Elle l'avait aidé à se rappeler d'elle.

— Ah ! oui, vous étiez à la recherche d'Hector Beaudette, avait-il dit.

Cette phrase l'avait blessée. Elle n'avait été que celle qui cherchait Hector. À l'évidence, leurs rencontres, son bras sur le sien et le bouquet de fleurs n'avaient pas de place. Elle se sentait trahie.

— Tu comprends, Germaine, je n'avais été pour lui qu'un avis de recherche. Pas une femme.

Il l'avait reniée. Rien de ce qu'elle était ne l'avait intéressé et elle se prit à le haïr, désespérément, le regard accroché à ses mains fines mais plus noueuses, presque fragiles, à ses doigts effilés, si doux à la caresse, à ses veines qui palpitaient tendrement sous une peau qu'elle ne caresserait jamais. Elle avait mal. Partout. Elle voulait…

— Je ne sais pas ce qui m'a prise… Je lui ai parlé de nous.

— Quoi ?

Les bruits ambiants cessèrent. Un grand silence hautain enveloppa la salle à manger.

— Tu as fait quoi ? demanda Germaine d'une voix forte, pour briser la tension.

Les conversations reprirent. Germaine balbutiait des excuses aux têtes tournées vers leur table. Lucienne tergiversait, lui énumérait ses motifs, tous plus tristes les uns que les autres, afin de l'amadouer et d'éveiller sa pitié, alors qu'elle ne suscitait que colère et mépris.

— Comprends, pleurnichait-elle. Toi, les hommes te voient, te convoitent. Moi... L'Augustin t'aurait reconnue, toi. Il ne t'aurait pas offensée de la sorte. J'ai voulu lui faire mal...

— En quoi l'histoire de la famille pouvait-elle lui faire du mal, veux-tu bien me le dire?

— Je me disais... Je pensais que lui, l'aventurier, regretterait d'être passé à côté d'une femme comme moi, d'une famille comme la nôtre... Qu'il comprendrait son erreur... me trouverait intéressante... qu'en regardant le carosse il saurait ce qu'il avait perdu...

C'était lamentable. Germaine n'avait pas d'autre mot en tête. Lucienne regardait monter la colère de sa sœur comme, sur le banc, elle avait vu l'intérêt d'Augustin s'éveiller à ses paroles. Elle sourit. Elle n'était pas si sotte que cela. Les sots n'ont pas de pouvoir. Germaine se retenait de ne pas lui dire des méchancetés, ni de lui témoigner de la pitié. Si elle avait déjà douté du jugement de sa sœur, son opinion était maintenant aussi redoutable que le danger qu'elle représentait. Sa mère l'avait compris en l'écartant froidement et définitivement du clan.

— Et tu crois qu'il a compris? demanda Germaine calmement.

— Compris quoi? répliqua Lucienne, soudain décontenancée par le calme affecté de sa sœur.

— Qu'il était passé à côté du bonheur de sa vie?

— Oui, jusqu'à ce fameux rendez-vous avec la mère...

— Tu as donc obtenu ce que tu voulais.

— Pas vraiment. Enfin, oui... Il s'est intéressé à moi, mais comment dire? Je pense qu'il m'a aimée sans le vouloir et à sa façon d'arriver à l'improviste et de repartir sans prévenir. Il avait des gestes de tendresse et d'affection spontanés. Mais dès que je m'approchais, il s'éloignait. C'était trop tôt, qu'il me disait. Il avait à réfléchir. Ne voulait pas me faire souffrir. Il ramenait toujours la mère en cause et notre différence d'âge. Et Francine. Il n'avait jamais eu d'enfant et avait l'âge d'être grand-père. Ce n'était pas facile. Il était mystérieux, difficile à apprivoiser. Tout ce qui touchait la famille le faisait rire et douter, tant cela lui paraissait incroyable. D'en rire me faisait du bien à moi aussi.

— Faut dire que nous n'avons pas eu une vie banale…

— C'est plus que cela. Tout ce qui entourait la protection et la sécurité du clan l'émerveillait. La vie recluse de la mère, assise sur un coffre au trésor gardé par d'invisibles dragons, le fascinait. Encore aujourd'hui, il m'arrive de croire que la mère avait plus d'importance à ses yeux que moi.

— Et Hector ? Où se situe-t-il dans tout cela ?

Lucienne perdit la maîtrise d'elle-même. Une profonde douleur stria son regard, émanant d'un lieu secret, inatteignable. Germaine l'observait. À l'affût. Elle retenait son souffle. D'une voix presque éteinte, Lucienne lui mentionna qu'Augustin lui avait posé la même question, la première journée dans le parc. Elle se taisait maintenant. Sans la brusquer, Germaine attendit la réponse qu'elle soupçonnait, comme un chasseur sait, à partir des traces laissées au sol, quel animal se terre dans les taillis. Un silence intenable les opposait.

— Je lui ai répondu, dit-elle tristement, qu'il était le seul à pouvoir me mener à mon père.

Germaine expira profondément, en se renversant sur le dossier de son fauteuil, en proie à un immense chagrin mêlé à un immense soulagement. La famille avait évité de justesse la catastrophe, mais Lucienne, hébétée et accablée, n'en avait pas plus conscience aujourd'hui qu'auparavant. Sa volonté aveugle et sa douleur incurable les menaçaient encore et cet encore suffisait à la détester.

— Tu vas parler à la mère, n'est-ce pas ? la suppliat-elle après hésitation.

— Je n'en vois pas la nécessité, répondit Germaine sèchement.

Lucienne explosa. Quoi ! Sa sœur n'avait pas l'intelligence de mesurer le sérieux de la question. Était-elle bornée à ce point ? Germaine lui avait répliqué qu'elle ne voulait plus encombrer ses bagages d'un ourson en peluche mitée. Cette remarque alimenta la rancune de Lucienne. Sans l'intervention de la mère, disait-elle, elle aurait pu être heureuse avec Augustin, retrouver le père, mener une autre vie. La mère, cette vieille radoteuse coincée dans ses délires de persécution, avait empoisonné sa vie.

— À ce que je sache, rien ne t'oblige à mener la vie que tu mènes. Et disons qu'à te croire sur parole, personne n'aurait pu deviner que tu désirais y changer quelque chose à ta petite vie.

— Je veux voir la mère, est-ce clair ?

— Tout à fait. Je n'en vois pas l'intérêt, est-ce clair ?

— Germaine, ne me pousse pas à bout. Sinon... sinon... j'irai vous dénoncer.

— Rien que ça !

— Vous aurez enfin raison d'avoir peur de tout perdre, de vous sentir assiégées.

— Toi aussi.

— Moi ? Vous ne m'intimidez pas. La police saura me protéger contre vous. Pour une fois, j'aurai la loi de mon côté.

— Je ne pensais pas à nous.

Lucienne la regarda, interloquée. Elle avait proféré ces menaces sans réfléchir et ses paroles avaient dépassé sa pensée. Elle avait du mal à suivre le raisonnement de Germaine. Elle était désarçonnée et devait bluffer pour montrer son sérieux.

— À qui d'autres? Aux anciens compagnons de route de la mère?

— Non. À Fred.

— Fred! ricana Lucienne. C'est mon mari, imbécile! Un époux ne peut pas témoigner contre sa femme!

— Peut-être as-tu oublié que Fred a épousé Lucienne Lalonde, une femme qui n'existe pas, décédée trois jours après sa naissance? prononça Germaine en détachant chaque syllabe.

Lucienne resta interdite. Sa fausse identité venait de lui exploser au visage comme une évidence sciemment oblitérée. Comment avait-elle pu oublier cette deuxième peau? Elle n'avait jamais envisagé l'éventualité de voir un jour son identité démasquée. Elle imagina l'incrédulité de Fred, le choc de son Édouard, le rejet méprisant de son entourage.

— Alors je suis piégée, murmura-t-elle, abattue.

— Nous le sommes toutes, confirma Germaine.

VI

Il avait toujours aimé ce hall. Dès le seuil, les dalles en marbre blanc délicatement veiné de beige rosé, et les lambris en chêne enchâssant les immenses glaces ovales biseautées, serties dans une fine dorure torsadée, l'émouvaient. Il avait l'habitude de s'arrêter sous l'énorme lustre qui pendait du plafond à caissons dorés, de se mirer, puis de gravir lentement les marches, posant avec une tendre précaution ses pieds sur le marbre érodé par des millions de pas inconnus. « Lentement, comme on remonte l'Histoire », se plaisait-il à se dire, en s'élevant graduellement vers la porte derrière laquelle s'ouvrait un autre univers. Ou encore, en déplorant la jeunesse de l'escalier qui l'éloignait des Romains et des Grecs dans les pas desquels il aurait aimé marcher. Quand il était seul, il s'attardait au milieu des marches pour admirer l'effet de sa silhouette multiple, savourer l'harmonie et la proportion de l'espace ajustées à sa haute taille. Il s'envoyait souvent un sourire engageant, les jours où son appétit de travailler était intense comme une fièvre de printemps.

Il aimait tant ce hall, qu'il en était arrivé à croire qu'il lui était de tout temps destiné, et cette sensation le comblait. Il avait la béate impression qu'en franchissant le seuil, il suivait un parcours initiatique dessiné pour lui seul. Il gravissait les marches, traversait le palier et franchissait la porte intérieure donnant sur un large corridor aux boiseries sombres, sobrement éclairé par des appliques en laiton aux ampoules chapeautées de verre dépoli. Le tapis moderne, aux fleurs bourgogne stylisées sur fond noir, ajoutait à l'élégance du lieu une discrète note de fantaisie, surprenante les premières fois, mais combien accordée, devait-il en convenir, au style de l'immeuble. Ce corridor feutré, à la lumière tamisée, harmonisait le passage de l'ère victorienne à l'époque contemporaine et exprimait, se plaisait-il à philosopher, la pérennité du génie humain. Ce lieu le rassurait, plus que tout autre. Même les numéros finement apposés sur les lourdes portes en bois appelaient au calme et à la discrétion.

Il se félicitait encore, en tournant la clef dans sa serrure, d'avoir choisi une maison si bien tenue où l'on n'acceptait pas les jeunes excités, les voyageurs de commerce et autres représentants grégaires et bruyants. Son seul agacement, parfois très vif, surtout les vendredis, était cette odeur de friture si peu convenable à la classe de la maison. Les temps changeaient, hélas, et Monsieur Pouchkine remarquait avec lassitude l'évolution de la société à la progression des arômes et effluves qu'elle produisait. Il y a quinze ans, pensa-t-il en refermant la porte, de telles nuisances n'existaient pas et la maison fleurait le café et les rôties au beurre fondant et à la confiture de fraises. Quelle idée de permettre la cuisson dans les chambres, maugréa-t-il tout en sachant qu'il n'irait pas se plaindre, encore moins quitter ce hall si magnifique.

Une veilleuse éclairait sa grande chambre. D'un pas assuré, Monsieur Pouchkine se dirigea vers les tentures de velours bleu royal dissimulant sa grande fenêtre et tira le cordon. Le jour pénétra au son du roulement lourd des galets sur les rails de la tringle. Il noua les plis avec la cordelière attachée au crochet de fer et ouvrit la fenêtre pour dissiper la légère odeur de renfermé et de tabac froid mêlée à celle, prégnante, de la friture venant de la chambre voisine. Le voile des rideaux ondulait dans l'air frisquet du printemps. Il soupira d'aise. Il était enfin chez lui. Sa chambre était spacieuse, bien qu'encombrée. Nul endroit ne lui procurait ce sentiment inaltérable de bien-être. Il s'installa dans son vieux fauteuil élimé, face à la cheminée au parement de marbre gris, et bourra sa pipe avec minutie, attentif à ne pas échapper de filaments de tabac sur ses pantalons ou sur la moquette.

La tête appuyée contre le dossier, les yeux mi-clos et les jambes allongées, Monsieur Pouchkine fumait, heureux. Ce moment lui était aussi essentiel que son arrêt dans les marches de l'escalier d'entrée. C'était, comme il aimait se le dire, l'étape ultime où il se dépouillait du chahut extérieur, passage mythique du tumulte au silence productif, en dépit du bourdonnement incessant de la rue. Il scruta la chambre avec la tendresse d'un homme enfin parvenu au calme de l'oasis au terme d'un voyage incertain. Au-dessus de la cheminée, le sourire pulpeux d'une femme au regard dépoli, égarée sous une chevelure en flammes, le fit frissonner. D'autres auraient déplacé ce portrait, ou le fauteuil, ou encore auraient installé un miroir parfait de netteté. Pas lui. Le trait charnu des lèvres entrouvertes et le regard brouillé aiguisaient son imagination. Les jours sans femmes, le pantalon baissé, il se laissait aller à réinventer un visage, toujours le même, à l'imaginer, badigeonnant sa peau violacée, les nerfs tendus sous l'effort jusqu'à en gicler des larmes d'amour. Alors, seulement alors, son corps se libérait d'une morbide obsession, devenait léger et laissait place à sa tranquillité d'esprit. Les autres jours, il fumait sa pipe en se réappropriant un espace qui le résumait.

La chambre était remplie de piles de documents. Il y en avait dans la garde-robe, dans les tiroirs des deux commodes, sur le manteau de la cheminée. Partout, sauf sur son fauteuil usé. Cet entreposage commençait à l'inquiéter et sa tension augmentait quand il regardait le divan-lit où s'accumulaient les cas problèmes, difficiles à répertorier. Un véritable casse-tête dont il n'avait pas encore le temps de s'occuper. « Demain », se dit-il, conscient de se répéter, angoissé à l'idée qu'un jour, l'ampleur de la tâche l'écraserait peut-être. Il se secoua, se leva pour aller à sa table de travail. Il fouilla dans sa serviette pour en extraire d'autres papiers qu'il empila, selon les sujets, devant le lavabo ou sur le divan-lit. Il s'assit à sa table, devant le grand sous-main aux rebords en cuir repoussé qui faisait l'admiration de la concierge. « On voit bien que monsieur est un intellectuel », lui avait dit Mme Berthiaume, un jour, et ce compliment l'avait flatté. Mais il était resté évasif. Avec le temps, Mme Berthiaume avait appris à retenir ses questions et ses commentaires et à suivre ses instructions à la lettre. Elle faisait le ménage, de plus en plus difficilement, se plaignait-elle à son mari, à cause de toute cette paperasse, et s'occupait de son abondant courrier. Tel qu'il l'avait demandé, elle le rangeait selon la date d'arrivée, d'abord sur la table de travail, ensuite sur la grande commode aux tiroirs remplis d'enveloppes cachetées, puis, si nécessaire, sur la planche posée sur le lavabo. Elle le trouvait un peu fou, d'une folie douce et discrète. Il était un locataire poli et fiable, n'amenait jamais de femmes et cela valait bien des excentricités.

Monsieur Pouchkine commença à ouvrir son courrier. Il déposa le contenu de la plus récente enveloppe à côté du lavabo et lui superposa les autres dossiers, systématiquement. Heureusement qu'il avait de l'ordre et une bonne méthode, se félicita-t-il, en sortant de sa serviette un ruban à mesurer. Il enjamba des cartons adossés au mur donnant sur le corridor, mesura l'espace et revint inscrire : cinq pieds quatre pouces. Il mesura ensuite le mur d'en face, du foyer au mur de façade et du foyer à la garde-robe, non sans mal. Sur une feuille blanche, il traça le plan de la chambre et essaya d'y caser les trois classeurs nouvellement achetés. « Pas d'erreur, c'est là qu'ils vont », se dit-il en pointant le crayon sur la ligne à gauche du foyer. Pour son malheur, la meilleure place était la plus encombrée et il dut transporter chaque pile de dossiers, sans les mélanger, devant une autre rangée bien tassée. Il mesura la surface ainsi dégagée et s'en trouva satisfait. Les livreurs devraient pouvoir poser les classeurs sans rien déranger. Comme il avait hâte de commencer ! Et comme il était déçu de ne pas le faire illico ! Bien sûr, il pouvait toujours s'attaquer à la masse des cas problèmes, mais cela ne l'avancerait guère. Sans les classeurs et les fournitures commandés, c'était peine perdue. Et s'il y avait une chose qui le contrariait, c'était de travailler pour rien. Il pensa faire l'inventaire de l'armoire-penderie quand il entendit les cloches de l'église Notre-Dame. Il était l'heure de partir, ce qui l'irrita. Il referma la fenêtre et les tentures. Dans la pénombre, un papier bruissa sous ses pieds. Il le ramassa et alluma la lampe du bureau. C'était son poème fétiche, écrit en 1830 à Saint-Petersbourg par son homonyme, Alexandre Pouchkine. Il commença à lire à haute voix :

Mon nom, pour toi, qu'évoque-t-il ?
Il s'évanouira comme le bruit lugubre
Que fait la vague en se brisant au loin
Comme un cri dans la nuit au cœur de la forêt.

Il s'arrêta, ému. Ce poème le bouleversait, lui rappelait des peines indicibles. Il déposa la feuille sur son bureau, leva les yeux sur le dessin accroché au mur. Les lèvres charnues entrouvertes semblaient vouloir émettre un son. Un mot, une plainte, un rire, un cri? Pour le savoir, il lui fallait plonger dans la braise du regard et y lire ses propres désirs. C'était d'une franchise indécente. Inéluctable. Intolérable les jours de grande solitude. Il éteignit la lumière et sortit précipitamment. Il descendit les marches du hall, tristement, s'arrêta au centre et se regarda marcher à contrecœur vers l'instant présent.

VII

LUCIENNE ÉTAIT REVENUE DIRECTEMENT du Ritz à la maison, sans prendre le temps de fureter dans les magasins. Elle qui avait toujours pensé avoir échappé à l'emprise du clan se retrouvait piégée. Et l'air complètement idiot. La voix blanche de Germaine martelant : « Lucienne Lalonde, une femme qui n'existe pas » la rendait folle de rage. Elle fulminait contre son étourderie. Comment ? Mais comment avait-elle pu oublier cette imposture ?

La maison était vide. Elle lui parut laide et étriquée. Les meubles choisis par un décorateur réputé semblaient la défier, se moquer de ses cauchemars, capitonnés dans leur allure stricte et convenable. Collets montés dignes jusqu'à l'absurdité, froids de bienséance, engoncés dans leur soie ridicule de prétention. Le salon résonnait de ses cris furieux, de ses poings matraquant des fauteuils aux ressorts de trop bonne qualité pour gémir, de ses sanglots aigus et de ses reniflements, enfin saccadés. Elle ne se reconnaissait pas, accroupie devant le sofa, harnachée au souvenir d'Augustin, au bleu tristounet de ses yeux, empêtrée dans la réalité. « Je suis Lucienne Lalonde », se mit-elle à scander, en se relevant, égarée et dépaysée au milieu de son salon-salle à manger. Elle courut se réfugier dans la cuisine.

Son cœur palpitait maintenant d'un bonheur encore timide. À la troisième cuillerée, elle sentit la confiture de framboises se répandre dans ses veines, ramollir de son sucre ses nerfs à vif et se figer en un souvenir heureux. C'était le mois d'août et elle était debout, les bras raidis par l'effort, et tenait relevés les pans de son tablier. Ses sœurs, les lèvres et les joues striées de bavures rouges, accouraient y déverser les framboises mûres et juteuses. Elles la gavaient en riant de fruits croquants. « Ferme les yeux et ouvre la bouche, Lucienne. » La bouche pleine, elle écrasait avec sa langue les petites baies, grinçait des dents pour en broyer les noyaux. Elle retenait le jus qui perlait aux commissures de ses lèvres jusqu'au retour de ses sœurs, puis laissait le liquide descendre lentement dans sa gorge, avant d'avaler d'un coup la pâte moelleuse légèrement acidulée.

Le tablier était lourd, trop lourd pour ses quatre ans, mais elle tenait précieusement la récolte. Les joues arrondies, les narines dilatées humant l'air saturé de parfums, elle mâchouillait sa récompense. Le jus se mêlait à son sang, coulait, chaud et vif, se lovait, chaud et gratifiant dans son cœur. Le clan était fier d'elle et elle ramenait en chancelant les fruits, comme une offrande païenne un jour de fête.

L'effet des confitures de framboises ne lui faisait jamais défaut. Elles lui procuraient, loyales, une joie primaire et fulgurante qui liquéfiait ses peines, broyait ses graines d'angoisse et d'amertume. Cette chaleur lui faisait du bien, malgré le prix à payer, tribut de plus en plus lourd avec l'âge. « Ce soir, se promit-elle, je me passerai de dessert et demain, je commencerai un nouveau régime. » Elle se sentait miraculeusement elle-même et essentielle. Elle avait toujours été utile au clan. Faire le panier, passer la bagosse, transporter des billets de banque ou des messages dans sa culotte à double fond, si garnie qu'un jour, la mère avait excusé sa démarche en déplorant que Lucienne, hélas oui, encore, portait des couches. Cette remarque de la mère l'avait si humiliée qu'aucune récompense n'était parvenue à la consoler. Elle avait fait une de ces crises, et la famille, à grand renfort de tartines dégoulinantes de confitures, de babioles et d'une robe du dimanche à fanfreluches, cousue en catastrophe par Florence durant la nuit, lui avait fait comprendre l'importance de son rôle. Mais la mère avait réévalué en secret sa capacité à effectuer certaines tâches primordiales et Lucienne s'était vue progressivement écartée des affaires et privée de ses plus belles récompenses. Sa déception l'avait amenée à trouver des compensations en dérobant durant les années noires ces petits plaisirs.

Aujourd'hui, dans sa cuisine moderne au formica miroitant de propreté, elle savourait sa confiture. Ni ses enfants ni son mari n'avaient pu lui redonner ce sentiment exaltant de nécessaire utilité. S'occuper d'eux faisait partie du lot quotidien des choses à faire adéquatement, au même titre que la vaisselle, les repas et l'époussetage, selon une routine bien réglée. Elle avait besoin de la rigidité désolante des principes et des règlements, y tenait d'une manière maladive. Son mari et ses enfants garnissaient un vide vertigineux. Surtout Fred, avec qui elle allait vieillir, après le départ des enfants. Fred qui la préférait à toutes les autres parce qu'elle ne l'aimait pas et n'exigeait rien de lui.

Lucienne remit de l'ordre dans le salon. Les meubles de style anglais, qu'elle avait choisis avec son décorateur, avaient décidément de la classe, se dit-elle. L'ensemble, bien qu'un peu froid, dénotait un haut standing et lui plaisait par son uniformité. Les coussins et les bibelots, à leur place respective, apportaient de la couleur sans grande sensualité, mais conféraient à la pièce une légère touche de fantaisie. Elle aimait son salon.

Elle était Lucienne Chaput, née Lalonde, le 24 janvier 1920, et si elle n'avait pas crié, le soir de l'arrestation du père, c'est qu'une main l'avait brutalement bâillonnée. Ou mieux, elle pouvait se dire, comme ses sœurs, que son père était décédé pendant sa tendre enfance. Cette affirmation valait mieux que ses cauchemars et s'avérait invérifiable, du seul fait qu'elle n'avait jamais osé transgresser le silence et demander quel était son nom véritable.

Ce lunch avec Germaine n'avait pas été si moche que cela, tout bien considéré. Elle était Lucienne Lalonde. Ce nom lui convenait, cette identité lui seyait et elle n'entendait plus poursuivre de fantômes. « De l'éloge de la framboise comme remède à la crise de nerfs », pensa-t-elle en s'esclaffant. Sa bonne humeur revenait, elle avait un souper à préparer et demain, elle parlerait des confitures à son club de bridge. Yvette trouverait cela drôle. Voilà ce que Lucienne se disait, en croyant avoir refermé sa boîte à malice.

VIII

Louis H. Beaudette était avec la mère. L'arôme épicé de son eau de cologne le signalait et rappelait à Germaine qu'elle avait souvent flairé ces effluves, sans en connaître la provenance. La mère était restée muette à ce sujet et Germaine, pas plus fouineuse et curieuse que nécessaire, n'avait pas insisté. Pourtant, quand elle avait associé un visage à ce parfum et mis un nom sur ce visage, elle s'était mordu la lèvre au sang, était tombée raide dans un vieux fauteuil grinçant. Louis H. s'était précipité pour mouiller une débarbouillette d'eau froide que la mère avait appliqué sur son front. Il répétait: «Pour un choc, c'est un choc. On aurait dû la préparer, Gatienne.» Mais la mère lui avait répondu que sa Germaine était forte et raisonnable et qu'il n'y avait pas d'inquiétude à y avoir. Germaine avait émergé de sa stupéfaction et fait face à sa mère, affublée désormais d'un prénom, et à ce Louis H. coloré qu'elle avait vu à quelques reprises sans même se douter qu'il s'agissait de l'oncle Hector.

Louis H. s'était dandiné d'un air désolé, dans ses habits bien coupés et ses chaussures en peau de crocodile. La soixantaine avancée, encore bel homme, il défrayait depuis longtemps les chroniques mondaines et avait autant brisé les espoirs des mères en quête d'un bon parti que des veuves en mal de sécurité. Avocat réputé tenace, voire coriace, son bureau passait pour renfermer les secrets les mieux gardés du pays, écrivait-on dans les journaux. Tous les partis politiques lui avaient fait des avances qu'il repoussait habilement et personne ne pouvait se vanter de connaître ses allégeances.

Mélomane et grand amateur d'art, il était de toutes les premières, souvent accompagné de mannequins ou de fort jolies femmes. Leur présence alimentait les potins et les intrigues. Dans l'intimité des salons, on expliquait son célibat par une peine d'amour de jeunesse inconsolable, sans parvenir à identifier celle qui lui avait infligé une si profonde blessure, ce qui nourrissait tous les ragots.

Germaine l'avait croisé au hasard à quelques concerts. La première fois, il avait eu un tel mouvement de tête que son compagnon s'était étonné qu'elle le connaisse et ne l'avait pas crue quand elle avait affirmé le contraire. Les fois suivantes, elle avait eu l'impression qu'il la fuyait et même l'évitait. Et voilà que le Louis H. était là, aux côtés de sa mère, intimidé et désemparé, aussi peu sûr de lui qu'il était féroce devant les tribunaux. « La vie réserve des surprises », avait-il dit gauchement, déclenchant chez Germaine un énorme éclat de rire nerveux qui s'était communiqué à sa mère et à l'oncle.

Germaine avait du mal à accepter la présence de Louis H., son dévouement quasi amoureux à sa mère et leur intimité qui semblait dépouiller sa mère de son rôle de mère et la parer d'un statut difficilement supportable. Elle était Gatienne, la sœur aînée, celle qui l'avait encouragé à poursuivre des études et lui avait payé chambre et pension durant ses années à l'université. Elle possédait désormais un prénom, perdu dans les pérégrinations du clan. « Un personnage admirable, hors du commun, une pionnière », de déclarer Hector.

— Ah ! Germaine, lui avait-il confié un jour, imaginez ce que Gatienne aurait pu faire si elle était née plus tard, dans une société plus équitable et moins étroite d'esprit. Quelle place elle y occuperait maintenant, si elle avait trente ans. Quelle vie elle aurait pu mener sans son maudit Auguste !

Germaine l'avait laissé s'exclamer. Elle n'avait pas voulu le décevoir en lui répondant qu'elle aurait peut-être simplement été l'épouse fidèle d'un mari banal. Que ce voyou de mari (« mon père, cher oncle, ne l'oubliez pas »), les lois et les pressions de l'époque médiocre avaient été les ressorts de sa géniale débrouillardise. L'image de sa mère en femme ordinaire dans une société ordinaire lui faisait plus mal que la vue de cette petite vieille ricaneuse, déformée par l'arthrite et souffrant en silence dans son logement minable.

Du salon lui parvenaient leurs voix animées ; le rire gai et cristallin de sa mère la surprit comme une indécence. Un écho ancien qui la propulsait à la sortie de Rigaud, le jour de leur départ pour Montréal. Elle prit conscience, avec un pincement au cœur, qu'elle n'avait jamais su faire rire sa mère, librement, légèrement. Ni elle ni ses sœurs. Ce rire à lui seul l'isolait, exacerbait sa jalousie, la forçait à mimer maladroitement la désinvolture. Elle s'approcha du salon, toussota sottement pour annoncer sa présence et eut un accueil chaleureux. Hector s'était levé, avait fait quelques pas vers elle et lui serra galamment la main. Elle s'avança vers la mère et l'embrassa comme elle prononçait son habituel : « Enfin, te voilà, je commençais à m'inquiéter » et accepta le verre de scotch que lui tendait Hector.

— J'ai demandé à Hector de venir parce que j'ai à vous parler de choses graves, dit-elle en réaction au silence de sa fille. Je veux préparer mon testament et voir à la meilleure façon d'assurer la croissance des affaires, ajouta-t-elle.

Germaine et Hector s'étaient regardés, surpris, alors que la mère enchaînait sur un ton badin des « merci de ne pas me dire que j'ai encore tout mon temps ». Elle bavardait pour leur permettre de reprendre leurs sens, saluant l'excellent travail de Germaine, d'autant plus remarquable qu'elle ne connaissait qu'une part congrue de ses affaires.

Germaine jouait celle qui ne comprenait rien. Comme au Ritz, elle voyait s'allumer des signaux d'alerte sans indices avant-coureurs. Elle n'aimait pas ce genre de situation. Après son lunch avec Lucienne, un examen rapide des livres de comptes de sa mère lui avait révélé qu'Augustin avait reçu 2000 $ à l'époque de ses amours avec Lucienne. Mais Germaine n'avait encore rien dit à la mère, attendant le bon moment qui ne s'était jamais présenté. Elle devinait que le passé allait de nouveau surgir.

— Maman, dit-elle d'une voix neutre, les finances m'intéressent, le reste, non.

— Je te comprends. Mais comme tu t'occupes de ma comptabilité, il est temps que tu prennes connaissance de mes autres livres de comptes et de mes papiers personnels.

Germaine tressaillit. Le passé allait rugir dans toute sa laideur et sa rationalité ne lui serait d'aucun secours. Le tremblement glacial des nuits de panique commençait à resurgir, enflait et la clouait au fauteuil.

— Ce ne sont pas des choses si terribles, dit doucement Hector, comme s'il devinait sa réticence.

— Je ne veux rien savoir de cela, rétorqua brutalement Germaine à sa mère qui se cala dans son siège, masse rabougrie et ridée sous une couverture de laine.

La violence de sa fille lui était incompréhensible.

— J'ai toujours pensé que tu connaissais la vérité et que tu l'avais acceptée, ajouta-t-elle doucement. J'en avais l'intuition et c'est pourquoi...

— Eh bien! Vous vous êtes trompée, s'écria-t-elle. C'est Lucienne qui s'intéresse au passé, pas moi.

— Je n'ai pas dit que tu t'intéressais au passé, corrigea la mère, mais que tu l'avais accepté, qu'il ne t'effrayait pas plus que tes paris boursiers. Je me suis trompée, avoua-t-elle désemparée.

Hector se servit un autre scotch et se rendit à la cuisine en prétextant ramener un jus à Gatienne. La mère s'excusa de sa maladresse. Elle n'avait jamais pensé que les fantômes lui faisaient peur. Comme elle regrettait d'autant la bouleverser! Germaine se taisait. Toutes les vieilleries du salon lui levaient le cœur, fauteuils aussi dépareillés qu'élimés, tables écorchées et cernées au verni dépoli, pouf rapiécé à moitié défoncé. Des meubles dégotés dans des magasins d'occasion dont la grande qualité était de pouvoir s'en départir sans serrements au cœur, au pied levé. Un univers brun, depuis les moutons pâles coincés dans la transparence des trames d'un tapis jadis ocre, jusqu'au chêne trop foncé de l'armoire striée d'égratignures beiges. Un monde étouffant, étanche à la fantaisie et aux couleurs des saisons refoulées derrière les épaisses tentures marron.

La mère n'avait jamais voulu posséder des meubles plus gais, repeindre les murs et les boiseries, changer les tissus d'ameublement. Elle se refusait à aimer les choses, à s'entourer de beaux objets pour ne pas attirer l'attention ou susciter l'envie. Elle s'achetait des autos usagées, faisait tous les jours son épicerie, pour ne pas avoir à faire livrer une commande trop lourde. Les chaussures étaient son unique luxe. Elle en avait de toutes les couleurs, véritable musée retraçant l'évolution des semelles et des styles depuis les vingt dernières années. Des paires en parfait état, jamais portées pour ne pas céder au plaisir, ne pas souffrir d'avoir à s'en séparer. La mère avait passé sa vie comme en transit dans une gare d'arrière-pays.

Germaine examinait ce décor sombre et chaotique, à l'image de leur enfance. Elle ne voulait pas en savoir davantage, de peur d'avoir à vivre comme sa mère, sans lumière et sans luxe, pour ne pas attirer les regards. Une vie plus ou moins recluse qui avait fait de cette belle brune pleine de vitalité, aux yeux vert pistache, une petite vieille frileuse toujours aux abois, ratatinée par les spectres de son passé.

— Germaine, lui dit la mère devinant ses pensées, connaître le passé ne veut pas dire vivre dans le passé. Ce sera ta force. Ton grand avantage sur moi.

Germaine ressentit un léger picotement, pareil à celui qu'elle avait éprouvé en achetant ses premières actions. L'excitation fébrile de l'investisseur à qui on a refilé, du moins l'espère-t-il, un bon renseignement.

— Faut voir, dit-elle à sa mère. Je ne peux pas en évaluer l'importance, ni l'utilité, ni le potentiel.

Elle lui avait parlé comme à son courtier. « Les actions à risques élevés se transigent la tête froide et des nœuds dans l'estomac », se disait-elle. Elle se leva pour se servir un autre scotch et appela d'une voix détendue l'oncle Hector avant qu'il ne fasse grincer toutes les armoires à la recherche du temps à perdre.

À la grande surprise de Germaine, le passé de la mère commençait à leur arrivée à Montréal. Elle avait alors plus de vingt mille dollars de dissimulés dans sa malle, une somme aussi colossale qu'illégale, dans une période de misère et d'inquiétudes extrêmes. Des billets à mettre à l'abri du feu, des voleurs et des maîtres chanteurs, des indicateurs et des agents de police, avec l'aide d'Hector. Elle avait aussi les noms de deux amis fidèles de Ludger-le-Phoque : l'un, faussaire, l'autre, tenancier d'un club chic acoquiné avec la police et les grands vauriens. Des gens fiables et compétents sur qui elle pouvait compter.

À l'époque et encore aujourd'hui, bien qu'elle dut s'incliner, la mère ne faisait pas confiance aux banques fouineuses ni aux hoquets d'une bourse susceptible de gober son avoir. Du sang paysan coulait dans ses veines et bouillonnait devant des valeurs tangibles livrant leur tribut de moissons. Par nostalgie, peut-être aurait-elle aimé acheter une terre, mais des générations s'étaient esquintées à dessoucher et à travailler un sol ingrat. Non. Elle était en ville et ce qu'elle voulait, c'était des maisons solides, victoriennes si possible. Ou des triplex à proximité des parcs, à louer aux familles car, disait-elle, les femmes allaient continuer à mettre au monde des enfants. Même la misère n'arrêterait pas les grossesses. C'était à son avis la seule certitude que la vie, par le truchement de ses filles, allait ébranler. Ce n'était pas la misère qui avait fait diminuer le nombre de naissances, mais la richesse et le goût du luxe, leur répétait-elle comme un reproche, en regardant les photos de ses petits-enfants qui ignoraient jusqu'à son existence : loi du clan oblige.

Par l'entremise d'Hector, elle avait acheté des immeubles et voyait à leur entretien. Elle menait une existence calme quand sa vie bascula le jour où un jeune Anglais frappa à sa porte muni d'une lettre de Ludger-le-Phoque.

— Cousin Derek ! s'exclama Germaine.

Elle revoyait le jeune rouquin timide qu'elle et ses sœurs avaient recueilli comme un marin repêché du fleuve. La mère avait pris un air espiègle. Derek n'était pas plus apparenté à la famille que la direction de la

GRC. Il était le début d'un placement qui allait rapporter gros, la tête de pont de ce qu'elle appelait : « La leçon des Anglais ». Fils d'un gros commerçant ontarien farouchement opposé à la guerre, mais prisonnier d'un patriotisme aigu et d'énormes pressions sociales, il était venu à Montréal à titre préventif. Aux yeux de son père, il s'agissait de l'éloigner bien avant que la conscription soit décrétée, de prévenir l'enrôlement et une éventuelle désertion. « Un semi-déserteur », conclut la mère avec un demi-sourire. Et c'est ainsi que Gatienne, le faussaire et le tenancier unirent leurs efforts et montèrent un réseau d'hébergement : « L'Association canadienne pour la protection de la jeunesse », annonça-t-elle en riant, pointant du doigt une boîte pleine de dossiers.

— Tu n'es pas obligée d'en prendre connaissance, lui dit la mère, mais sache qu'il y a là cent soixante-dix-huit noms, pour la plupart des Américains et des Canadiens anglais. Peu de Canadiens français. Les nôtres n'avaient pas les moyens financiers de devenir membres de l'association.

Germaine ne la croyait pas. Sa mère s'amusait à ses dépens. Une association de protection de déserteurs ! C'était inimaginable. Mais la mère était sérieuse. La boîte contenait ce qu'elle nommait leur police d'assurance. Les copies des fiches personnelles des cent soixante-dix-huit jeunes hommes sauvés de l'armée par leur famille prévoyante. Avec leur nom d'emprunt, leur nom véritable, l'adresse et la signature des parents, si nécessaire, et le reçu du montant de leur cotisation. Les originaux étaient dans les voûtes du bureau d'Hector. L'oncle hocha la tête. Oui, tout était dans son coffre-fort ! Mais attention ! ces renseignements n'étaient pas matière à chantage, la famille étant honnête, mais des garanties d'aide, si jamais le malheur s'abattait sur le clan. Germaine voyait sa mère roucouler d'aise. Son association lui avait rapporté gros. C'était, avec sa distillerie clandestine, la base d'un empire étonnant dont elle était fière. Avec l'aide d'Hector, elle avait fait fructifier l'argent, mais là encore, il y avait un problème.

— Un hic? questionna Germaine, amusée.

— Hector, j'ai le sentiment qu'elle ne nous prend pas au sérieux, dit la mère, mi-figue, mi-raisin. Tu es bien sûr qu'elle peut nous aider à arranger nos affaires?

Sa mère et Hector dissimulaient leur sérieux malaise. Le hic, c'était qu'il fallait rendre légales les possessions de la mère. Et dans le vieil appartement délabré d'une vieille femme courbaturée et malade, Germaine apprit que sa mère avait enregistré ses transactions sous divers noms d'emprunt dans trois banques différentes. Hector en administrait une part, « pour des clients anonymes », et le tenancier, depuis longtemps promu directeur général, une autre part. Un imbroglio dont les seuls points communs étaient les prénoms, ou les abréviations des prénoms de ses filles. Incorrigible, la mère se donnait pour chaque banque une allure différente (elle n'aimait pas le mot déguisement), parfaitement identifiée dans leurs placards, garde-robes et tiroirs respectifs. Avec l'âge et la maladie, elle avait dû se résoudre à signer des procurations, mais le temps était maintenant venu de mettre de l'ordre dans les titres, ses associés n'étant plus très jeunes, eux non plus.

Bref, Germaine devait constituer, selon les volontés de la mère, quatre compagnies au nom de chacune des filles, officialiser les achats de la mère par des transferts fictifs de titres de propriété et de comptes bancaires et aussi tenir compte des services de quelques associés indispensables. Autre problème, bien secondaire, la mère voulait distribuer les parts de chacune de son vivant, pour qu'elles n'aient pas à payer de frais successoraux et que sa mort passe inaperçue.

— Pourquoi vous êtes-vous donné tant de mal ? lui demanda Germaine. L'association, c'était peut-être pas très moral, mais sûrement pas une fraude. Et le temps de la bagosse est bien loin.

— À cause de ton père, Germaine, dont je ne suis pas légalement séparée ni divorcée. Et comme tu le sais, les maris ont encore tous les pouvoirs sur les biens de leurs épouses. Les femmes doivent obtenir leur autorisation et leur signature pour faire des transactions. Et de mon vivant, personne ne mettra la main sur mes biens. Ni ton père ni aucun de mes gendres. Personne.

Sa voix vibrait de toute la souffrance et l'amertume cachées dans ses paroles. Des nuages de colère défilaient dans ses yeux verts délavés par l'âge et la presbytie, des nuits humides et froides se nichaient sous l'enflure qui déformait ses jointures. Là, tassée dans son fauteuil élimé, cette vieille femme de soixante-quatorze ans, à la tête d'une fortune évaluée à cinq millions de dollars, avait encore une peur irraisonnée de son mari. Une crainte incompréhensible que l'argent n'avait pas réduite et Germaine ravala une question brûlante. Elle se mit à parler affaires, comme le chef de clan qu'elle était désormais.

Ils discutaient des modalités quand la mère eut une crise aiguë qui lui arracha des larmes. Elle était épuisée. Hector lui apporta ses médicaments, la souleva et la porta au lit. Il la borda tendrement, s'assit à ses côtés pour la veiller avec tant de naturel que Germaine resta là, debout dans l'embrasure de la porte, interdite et impuissante. Il lui chuchota que Gatienne allait bientôt dormir et lui demanda si elle pouvait reprendre le travail le lendemain. Elle acquiesça et s'apprêtait à partir quand, tout à coup, mue par une curiosité irrépressible, elle demanda si Augustin Taillefer faisait partie des déserteurs. Un cri monta du lit et Hector, bondissant vers Gatienne, étendit sa main pour lui caresser les cheveux et le front et la calmer. Germaine s'esquiva sans même qu'ils remarquent son départ, incapable de déterminer si le cri était une réaction au nom d'Augustin ou dû à une douleur d'arthrite.

IX

FRED AVAIT FAIT BASCULER SA CHAISE vers l'arrière et se flattait copieusement la panse. Il avait bien mangé. Trop. Mais ça, c'était la faute de Colette. Avec ses petits plats succulents, elle l'empêchait d'appliquer son dicton coutumier : « Il faut manger pour vivre et non vivre pour manger. » Heureusement qu'il ne bouffait pas des repas semblables tous les jours. Chez lui, il avait l'habitude de souper en vitesse et de se lever de table avant les autres, prétextant un travail urgent. Alors que, avec Colette, il était impossible d'échapper au cérémonial. Les repas étaient un plaisir à partager, un moment d'entretiens ou de confidences, souvent fort agréables. Une détente qui effaçait le stress mais qui, à force de se prolonger, finissait par lui faire ingurgiter le double de sa ration habituelle. Sans efforts, avec gourmandise même. Jusqu'à ce qu'il soit repu et qu'il ait des remords.

Fred hurla un « aïe ! » perçant qui lui crispa le visage soudain pourpre et perlé de grosses gouttes de sueur. Colette se précipita vers lui, mais il répétait que ce n'était rien. « Non, ce n'est pas un engourdissement », disait-il en suffoquant et en se massant la cuisse. Il lui interdit de le toucher ou de le bouger, en attendant que s'atténue son mal. Il ne voulait pas l'apeurer, et lui-même davantage, en lui montrant que sa jambe ne le soutenait plus.

— Ce n'est rien. Dans quelques minutes, il n'y paraîtra plus.

Et de fait, la douleur s'estompa. Il remua tout doucement sa jambe, plia le genou, se leva avec précaution, les mains sur la table, et se rendit au salon. Colette n'arrêtait pas de lui poser des questions, ce qui l'irrita et le fâcha.

Cela ne pouvait être le cœur. Avant leur départ pour Boston, il avait passé ses examens annuels et son cardiologue l'avait dit en parfaite santé. Mais il s'était bien gardé de lui mentionner cette douleur à la cuisse. Colette s'énervait et l'énervait.

— Colette, je te le répète. Ce n'est pas un engourdissement. Plutôt un mélange d'élancement et de coup dc couteau...

— Charmant !

— Comme une lame qui me scierait le fémur à froid.

— Et tu ne trouves pas cela suffisant pour consulter un médecin ?

— Tu sais, la médecine et moi... Et puis, ça vient et ça part. Tu vois, je ne ressens plus rien. Je manque sans doute d'exercice. Ou c'est peut-être un nerf qui se coince et se décoince...

— Et cela t'arrive souvent ?

— Parlons d'autre chose, veux-tu ? Tu me connais... Moi, les problèmes et les bobos, j'aime mieux ne pas m'y attarder et faire comme s'ils n'existaient pas. Généralement, les choses se règlent plus vite comme cela.

— Oh ! ça, pour te cacher la tête dans les coussins...

— Qu'est-ce que tu veux dire ?

— Ce que tu viens de dire : que pour ignorer les problèmes, tu es un as. Faire comme si tout allait bien avec Lucienne, les enfants, le bureau, moi. Et comme il n'y a pas de problèmes, on n'a pas besoin de solutions, pas vrai ?

— Bon, j'aurais dû m'en douter que tu n'étais pas parlable, juste à ta voix au téléphone. Tu reviens toujours aux mêmes vieilles rengaines. C'est lassant à la fin. Bon. Je fais mieux de rentrer. D'ailleurs, il se fait tard.

— C'est ça, va te mettre la tête sous l'oreiller et te dire que ta douleur à la cuisse n'existe pas, lui cria-t-elle en claquant la porte.

Elle rageait contre lui, contre elle, contre son incapacité à tenir sa langue ou à rompre. La soirée n'avait-elle pas été agréable ? Que lui avait-il pris de lui parler de Lucienne ? Si elle n'était pas contente, qu'est-ce qui l'empêchait de mettre fin à leur liaison ? Depuis leur retour de Boston, elle n'avait rien produit. Des croûtes, de la merde. Voilà ce qu'elle avait réussi à peindre et qui se cachait derrière la couche uniforme de céruse. La pensée qu'on retrouve un jour par rayons X de si mauvais tableaux l'avait fait hésiter, mais le prix des toiles l'avait emporté. Qu'on découvre ses ratés dans deux cents ans ou dans deux ans ne la tracassait guère. L'avenir se réduisait aux lendemains avec Fred et paraissait plus bouché et saturé que ses noirs et ses violets.

Elle n'aurait pas dû renouer avec lui, se répétait-elle constamment, sans prendre de décision. Quelque chose l'accrochait qui lui faisait accepter ces matins de fins de semaine de printemps, pâlots ou gorgés de soleil, seule, l'oreille tendue vers un téléphone qui ne sonnerait pas. Ou accepter de déboucher des bouteilles de champagne sur un air de Louis Armstrong, assise sur la moquette du salon devant des assiettes à moitié pleines et des débris de papiers froissés et de boucles arrachées, en attendant le *Minuit Chrétiens*.

Oui, quelque chose l'accrochait à cette liaison dix fois terminée et recommencée, sans raison ou pour toutes les raisons. Par habitude ou par peur de la solitude. Par facilité ou par refus de s'avouer qu'elle avait perdu tant d'années. Elle savait que ce n'était pas une question de sexualité. Fred aimait l'amour quand il se sentait angoissé. Comme un refuge en pleine tempête. Et pour un soir de plaisir, combien de pénibles jeux insignifiants et rapides, à se morfondre et à finir l'affaire à sa satisfaction, une fois la porte refermée derrière Fred? À espérer que la prochaine fois serait meilleure. Certes, il avait évolué. Appris des trucs. Entre l'amant malhabile, père de deux enfants, et celui d'aujourd'hui, il y avait une nette amélioration. Quand il avait le temps. Et le temps, se plaignait-il sans cesse, presque affolé, était ce qui lui manquait le plus. Il avait tant à faire qu'il rognait sur les heures à passer avec elle, jusqu'à disparaître sans donner signe de vie, puis reparaître un bouquet de roses ou des billets d'avion à la main. Comme si de rien n'était, surpris de son peu d'empressement, de sa joie mitigée et de son propre manque de temps.

— Comment, pas le temps? demandait-il en se moquant de son bougonnement. Tu as toute la vie devant toi. Tu es libre. Pas de neuf à cinq. Pas de réunions interminables ni d'obligations familiales. Un appartement payé par ton père, la bouffe et le reste par ton amant. Du temps? Tu n'as que cela et tu peux en faire ce qui te plaît, quand cela te plaît. De préférence avec moi, finissait-il par dire en la gavant de baisers.

Ces jours-là, leur amour touchait au zénith. Ses attentions fourmillaient de surprises, de séductions inconnues, comme ces sonates qu'il lui jouait dans des bars esseulés, en route vers la campagne, les États-Unis ou ailleurs. Moments brefs, si ensoleillés et exaltants qu'elle se retrouvait encore plus seule, dans son atelier assombri par la fin des vacances volées. Seule à chercher dans sa palette la luminosité des couleurs désormais sèches et ternes. À attendre ces instants qui lui redonneraient le goût de vivre, de peindre, d'embrasser l'univers. À se morfondre, en regardant filer les heures devant la télévision. À sentir s'épaissir, opaque, le poids des ans.

À avoir mal. À pisser des caillots et à dégouliner de sang en sortant de chez son médecin, délestée des trois cents dollars qu'il lui avait donnés pour se faire avorter, avant qu'il ne parte en Floride.

— Tu verras, ce n'est rien, lui avait-il dit pour la réconforter. On n'est plus au Moyen Âge. Les techniques médicales ont évolué.

Il avait promis de la rappeler au retour, sans lui fixer de date, parce que l'emmerdant avec les vacances d'affaires, c'est qu'on sait quand elles commencent, mais pas quand elles se terminent. Et Fred était parti en lui fourrant vingt dollars de plus dans les poches, « pour les taxis », avait-il pris la peine de préciser. Avant de refermer la porte, il s'était retourné pour lui redire qu'elle était trop jeune pour gâcher sa vie avec un enfant.

— Crois-moi, tu me remercieras un jour de ne pas endosser cette paternité, avait-il ajouté.

« Tu verras », répétait-il et elle avait vu. Un quatre et demi sordide, rue Lajeunesse près de Jean-Talon, gardé par une matrone en pantoufles synthétiques vert lime, et pesant le prix de son avortement. À bout de souffle juste à lever les yeux de son téléviseur noir et blanc. La matrone lui avait demandé son faux nom et ses vrais billets, lui avait ouvert la porte d'une chambre meublée de deux lits simples. Une autre jeune fille y dormait profondément, nullement dérangée par les klaxons de la rue et les cris de la télé. Elle ne savait pas quand le médecin allait arriver, mais si elle avait des questions, elle pouvait toujours les demander à l'autre. « C'est une habituée», avait-elle dit d'un ton méprisant avant de fermer la porte.

Elle avait attendu trois heures et quart, en écoutant la respiration saccadée de sa voisine. Une éternité à faire et refaire sa vie, à prendre des résolutions aussitôt rejetées. À avoir peur et froid. À épier les bruits. À sursauter aux battements de son cœur. À espérer que cela se passe vite. À craindre que le médecin ne vienne jamais et d'être flouée de son argent. Tant d'attente, d'angoisse et de nerfs crispés pour un travail bâclé en quinze minutes par une brute incapable de dire bonjour et de la regarder. Un homme pressé de finir son travail ou d'aller au théâtre, ordonnant d'écarter les jambes, l'empoignant pour la fixer aux étriers en s'étonnant de la timidité de toutes ces filles si promptes à s'écartiller ailleurs qu'à la visite médicale. Un boucher maniant grossièrement ses instruments, curetant, grattant, frottant, pinçant, en maugréant contre les jeunes qui prennent l'avortement pour un contraceptif. Une comète déjà rendue à l'autre fille à peine éveillée, continuant à marmonner, à se fâcher, à cureter, laissant à la matrone le soin d'éponger son sang écœurant qui n'arrête pas de couler. Qui gicle sans arrêt même s'il faut partir, parce que le temps est écoulé et que la matrone a un souper à préparer, ailleurs, chez elle.

Un avortement réussi par un médecin attaché à un grand hôpital, «au cas où, mais tu verras, ce n'est rien», lui avait dit Fred. Rien que trois semaines d'hémorragies atroces à cracher tout ce que son utérus, son vagin et ses entrailles contenaient de muqueuses, de caillots et de placenta dans une pâte gélatineuse, dégoûtante de souffrance. Seule, roulée en boule sur une serviette dans un coin du sofa, ou allongée dans l'eau rosâtre d'un bain bouillant. À grignoter, sans appétit, des biscuits soda. À boire de l'eau pour ne pas se déshydrater, le téléphone décroché, hors d'atteinte.

Quand Fred était rentré, il l'avait trouvée endormie et s'était glissé à ses côtés. Sa hanche, irritée par la raideur des draps, et son nez, incommodé par une odeur âcre, l'avaient poussé à relever les couvertures. Pour voir. Et son cri avait réveillé Colette, étendue sur des plaques de sang séché et coagulé, dans une jaquette maculée, raide à craquer. Il ne savait que faire, l'Alfred. Il proposait qu'elle se rende à l'hôpital, appelle un médecin, se lave, se lève, se lave. Volubile, il voltigeait d'une pièce à l'autre, plus effrayé par le scandale que par ses pâleurs, absolument inutile et bavard. L'idée de lui préparer un bouillon, d'aller acheter des provisions, du lait, du pain et des œufs ne lui venait pas. Ou quand il y pensa, l'impression que l'épicière allait deviner quelque chose de louche, l'interroger subitement : « Monsieur ne prend pas de saumon fumé, aujourd'hui, ni de terrine de canard ? » ou s'inquiéter de Colette : « Elle va bien la petite ? Il y a longtemps qu'on ne l'a vue. Pas malade, j'espère ? Avec les mauvaises grippes de cette saison. Tenez, pas plus tard qu'hier, mon beau-père me disait… » le paralysa.

Il se sentait impuissant, écartelé entre sa peur et sa colère de la voir mourir, sa honte et sa colère d'être aussi inapte à agir. Il pensait à Lucienne et à Blanche. Elles sauraient quoi faire, elles. Que lui conseilleraient-elles ? D'imaginer leurs réponses finit par l'apaiser. Il quitta l'appartement sur la pointe des pieds, se rendit dans un quartier éloigné où personne ne pouvait le reconnaître et ramena des sacs pleins de nourriture et de médicaments. Lui qui se vantait de ne pas même savoir faire bouillir de l'eau s'était activé dans la cuisine, absorbé par l'idée de redonner des forces à Colette. Suffisamment pour qu'elle se rende d'elle-même à l'hôpital ou chez le médecin, sans déclencher d'embarrassantes questions. Colette était jeune, elle allait vite se rétablir, se disait-il pour s'encourager, entre 17 h 30 et

18 h durant la semaine qui suivit son retour de vacances, penché sur les ronds compliqués de la cuisinière.

— À ton âge, on a plus de frousse que de mal, plaisantait-il en lui apportant le plateau.

Période de brume où, loin de s'offusquer du comportement d'Alfred, elle apprenait à mépriser le sien. À se dire sotte et laide, à s'avouer chanceuse de pouvoir compter sur un homme tel que lui. À ne pas croire qu'Alfred puisse aimer une femme aussi moche et dépourvue qu'elle. Elle ne méritait pas son amour, mais un jour, Alfred comprendrait combien elle l'aimait et ils feraient vie commune. Enfin heureux ensemble. En attendant, elle essayait de s'habituer à museler ses désirs, ses goûts et ses humeurs, jusqu'à les rendre, non pas conformes, mais en harmonie avec ceux d'Alfred. « Deux couleurs complémentaires sur un même tableau », avait-elle aimé se dire tout le temps qu'elle avait préparé sa nouvelle exposition incomprise de la critique. « Un amateurisme décevant », avait écrit un expert. « Où s'en va Colette Peticlerc ? Depuis son fameux *Miroirs en fusion*, l'artiste semble davantage tâtonner que peindre. Toutes les pistes sont possibles, aucune n'émerge franchement de cette masse confuse de couleurs et de formes. »

Dieu que ces critiques l'avaient blessée et étonnée ! Elle avait travaillé si fort, s'était tant acharnée à concilier sa vision avec les commentaires de Fred sur ce qu'il appelait ses éclaboussures, coulures, dégoulinures et autres « ures » sans peinture. Il détestait ses tentatives d'abstraction, lui reprochait de fuir son exceptionnel talent pour le dessin, éminemment fluide et expressif. Des heures à tenter de lui faire accepter la couleur comme un matériau autonome et non un simple outil de coloriage, à négocier l'élaboration d'une œuvre acceptable à ses yeux sans qu'elle ne soit figurative. Oh !

Pas un tableau qu'il aimerait d'emblée. Ses goûts étaient viscéralement arrêtés. Mais une toile qu'il ne mépriserait pas du premier coup d'œil, à laquelle il ne tournerait pas le dos, l'air dubitatif. Il l'avait moralement soutenue lors de son exposition. « Tout n'est pas mauvais », lui avait-il dit en lui achetant deux peintures, les plus figuratives de sa série. L'une pour son bureau, l'autre pour son ami Pouchkine, un excentrique qu'il devait toujours lui présenter.

Colette pleurait, ramassée en boule dans le coin du sofa. De rage, de dépit, d'amour ? Elle n'aurait su le dire. Elle pleurait, convaincue qu'elle n'aurait pas dû claquer la porte ni faire des allusions à son attitude d'autruche, certaine d'avoir creusé son malheur. Elle redisait à l'infini : « Je n'aurais pas dû », suivi de tous les verbes possibles. Au verbe être, elle s'arrêta brusquement. Ce « Je n'aurais pas dû être » surplombait le gouffre. Elle commença à reculer, lentement. Avec précaution, à pas calculés, une idée derrière l'autre, une émotion après l'autre, attentive à ne pas les piétiner, elle s'éloigna du vide, en ne le quittant pas des yeux pour mieux résister à son attrait. Depuis leur retour de Boston qu'elle voulait rompre et voilà qu'elle se retrouvait en miettes, dans son appartement douillet, joliment meublé, au désordre agréable. Ces années l'avaient menée de la conquête des rouge fuchsia au plongeon dans le noir.

Leur première rencontre dans une galerie d'art, elle, finissante aux Beaux-Arts et lui, amateur collectionneur, les avait jetés dans les bras l'un de l'autre d'une même incompréhensible fascination. « Tout ce temps perdu », pensait-elle sans vouloir y croire, pendue aux beaux moments qui donnaient un sens à sa liaison. Elle n'avait pas erré tout ce temps ! Il avait dû y avoir de l'espoir, de la joie, de l'amour. Sa passion s'était inscrite dans sa chair. Elle avait été séduite dès son entrée dans la salle.

Il était penché sur un tableau qu'il examinait. Son profil. Une telle pureté de ligne, sans épaisseur. Un trait ferme et continu, sans bavures, à main levée. D'abord la ligne parfaite du crâne et du front, bifurquant à l'arête du nez et se prolongeant, nette et proportionnée pour se recourber sous les narines en une légère boursouflure des lèvres, terminée par le trait incisif à l'angle du menton. Des traits si parfaits qu'elle l'observait, médusée, en photographiant la finesse et les proportions de ce visage pour les reproduire, plus tard, à la maison.

Il s'était détourné et l'avait surprise dans sa contemplation. Lui avait souri, intimidé et flatté, et demandé si elle aimait ce Borduas. Elle avait balbutié «oui», en cherchant la couleur de ses yeux, la teinte de l'étrange lumière dans son regard, les nuances roses et beiges de sa peau. Aucun de ses amis ne lui avait autant fait d'effet que cet homme. Elle aurait dû se méfier. Ils avaient tout naturellement poursuivi la visite ensemble, puis soupé dans un restaurant chic et parlé de peinture, de musique et d'histoire. Peu d'eux-mêmes. L'essentiel qui ne choque pas. Elle connaissait ses rêves et ses goûts, son désir de ne pas vivre en vain, sa difficulté à s'adapter au monde des affaires, sa soif inaltérable d'apprendre. Ils ne partageaient pas les mêmes idées et c'était ce qu'il aimait. Cela lui permettait d'exprimer abondamment les siennes. Il parlait, à croire qu'il sortait d'années de silence cloîtrées. Il parlait. Enfin il avait trouvé une oreille attentive. Enfin, elle avait trouvé un esprit si curieux et expérimenté qu'il reléguait ses amis à leurs langes. Elle l'écoutait et discutait, affûtait ses raisonnements et ses opinions, cédait parfois pour ne pas l'effrayer, en croyant que le temps changerait ses jugements catégoriques. Il considérait la modernité, ressort de ses propres pulsions de conquêtes picturales, comme un nécessaire mal de jeunesse.

Elle aurait dû se méfier de tant de conversations et d'entretiens aux heures normales des gens biens. Sa femme et ses enfants allaient entrer brutalement dans sa vie, alors qu'ils étaient tous les deux chez lui pour leur première nuit d'amour et eux, à son chalet. Il avait alors affirmé lui avoir déjà dit qu'il était marié et que si, au fond, il n'en avait pas parlé, elle avait peut-être raison à ce sujet, c'était que cela n'avait pas d'importance. Colette, déjà harponnée, comprenait que ce n'était pas la différence d'âge qui le rendait parfois si distant. Fred avait parlé de sa femme comme on décrit un furoncle, une chose irritante, désagréable dont on veut se débarrasser au plus tôt. Elle avait mal compris. Elle comprenait toujours tout à l'envers. Ce n'était pas la situation qu'il voulait changer, mais le sujet de conversation. Il était si heureux avec elle, sans contrainte, uniquement guidé par le désir et le plaisir d'être deux et de voler des moments de bonheur inaltérable à la société. Sans obligation. C'était cela, l'amour. Il ne fallait rien brusquer, ne pas changer d'orbite, suivre la trajectoire tracée par les contraintes de la vie.

N'avait-elle pas une carrière à bâtir, une œuvre à accomplir ? Le choc passé, elle avait accepté la situation sans rien demander, persuadée qu'elle n'était pas destinée à un amour routinier, un quotidien mangeur d'exaltation. Une relation empâtée par les corvées ménagères, alors qu'elle avait déjà tant de mal à se faufiler dans le fouillis de son atelier. N'avait-elle pas le meilleur ? Ah ! ces escapades merveilleuses à découvrir des coins à photographier, à fureter chez les antiquaires, à lui servir de modèle. Fred s'enivrait de tout et son exhubérance l'enivrait. Il lui écrivait des poèmes. Elle en avait plein les tiroirs. Des copies de recueils dont il s'appliquait à changer les mots et la rime, « tout en respectant l'âme du texte », disait-il avec satisfaction.

Copier des tableaux ou des poèmes était sa meilleure façon d'apprendre à maîtriser l'art. Et il lui lisait ses faux Baudelaire, ses pâles Rimbaud, ses insipides Géraldy, avec des trémolos dans la voix, fier de s'approcher si près de la perfection. Il y était presque, disait-il, fébrile, sans oser écrire une ligne de son cru. Durant une longue fin de semaine à Baie-Saint-Paul, elle l'avait blessé en lui demandant de cesser ces plagiats qu'il nommait « exercices de style ». Ils s'étaient querellés. Elle sapait sa volonté d'apprendre et c'était indigne d'elle. Elle était comme Lucienne, matérialiste et sans imagination, incapable de soutenir ses efforts et ses aspirations.

— On verra bien, lui avait-il dit en la plantant sur la grève, lequel des deux a le plus de mérite. Toi qui t'esquintes à inventer des tableaux horribles ou moi qui m'astreins à l'apprentissage des règles de l'art.

Son œuvre était à la portée de n'importe quel enfant, alors que lui, quand il se lancerait, il aurait déjà la maîtrise des Anciens.

Elle avait poireauté une heure avant son retour. Et ils avaient décidé d'écourter leur voyage. Il avait boudé durant le trajet du retour et la semaine suivante, puis il avait cogné à sa porte, les bras chargés de produits de luxe et de fleurs. Et un poème « créé pour elle », avait-il précisé. Colette lui avait manifesté l'admiration et l'encouragement auxquels il s'attendait. Il était heureux et fier. Ils avaient fait l'amour et après son départ, elle avait glissé le poème dans le tiroir, avec les autres.

« Il devrait encore y être », pensa-t-elle et elle se mit à le chercher. Que de banalité et de naïveté ! « Que pleures-tu sur les galets/sinon ton regret ? » Ça, c'était les premiers vers inspirés de leur voyage à Baie-Saint-Paul. Il en avait commis d'autres : « Que chantes-tu en juillet/sinon ton succès ? » ou « Que crains-tu aux aguets/sinon son décès ? » qu'il appelait ses variations sur un même thème, adaptables à toutes les circonstances ou tous les sentiments. Elle se mit à jeter et à déchirer tous ces papiers, cette médiocrité suffisante qu'elle avait inspirée. Sa peinture lui remontait à la gorge comme un repas mal digéré. Était-il possible qu'elle en soit rendue à étaler des étrons noirâtres et violets qu'elle effaçait aussitôt par dégoût ?

Elle se traîna jusqu'à la fenêtre. Les lumières des nouveaux gratte-ciel, nichées dans leurs alvéoles sombres, disputaient aux étoiles leur place au firmament. Lumières artificielles, plus présentes et vivantes que toutes ses molécules réunies, en guerre contre l'opacité de la nuit et le reflet maigrichon de la lune. Les lumières l'attiraient, la réconfortaient. La décidèrent à quitter Fred, pour de bon, se promit-elle.

Les jours suivants, Colette remit ses clefs à son père, lui demanda de changer la serrure, lui emprunta un peu d'argent et s'acheta un aller simple pour Amsterdam. À l'heure où le monde entier s'apprêtait à envahir Montréal et Terre des Hommes, elle décollait, en larmes, sans date de retour. Avec l'espoir de reconquérir les rouge fuchsia et les jaune safran. Sans un mot d'adieu pour Fred. Elle imaginait sa tête quand il essayerait, en vain, de faire tourner sa clef dans la nouvelle serrure. Son impatience. Son incrédulité. Sa peine, peut-être.

X

MONSIEUR POUCHKINE DÉPOSAIT sa quatrième boîte et se disposait à reprendre son souffle quand il fut pris d'un malaise. Il referma aussitôt la porte, sortit sur le trottoir et prit une grande respiration. Il n'était pas superstitieux. Néanmoins, de constater qu'il avait oublié ses rites de passage, le jour précis où il amorçait son grand œuvre, le troubla. Il avait la désagréable sensation d'être comme un plongeur remontant à la surface sans décompresser ou intégrant un sous-marin sans traverser les sas obligés. Heureusement, il s'en était rendu compte et avait encore le temps de se repentir. Il pénétra donc dans le hall d'entrée, s'arrêta pour admirer les lambris et le marbre, monta les trois premières marches et s'arrêta de nouveau. Sa silhouette lui parut plus voûtée, ses lèvres, crispées et ses cheveux, trop grisonnants. Il se redressa en bombant la poitrine. Ce léger étirement des reins et du dos le détendit, libéra un mince sourire et le mit dans cet état d'apesanteur qu'il affectionnait tant. Détaché, quasi aérien, il remonta les marches comme on remonte l'Histoire, traversa le palier, franchit la porte intérieure qui se referma sur ses gonds, longea le corridor tamisé (« oh ! cette odeur de friture », enregistra-t-il avec agacement) jusqu'à sa porte qu'il ouvrit puis verrouilla, sans bruit, derrière lui. Il soupira d'aise, heureux d'avoir traversé le temps, réapprivoisé l'espace.

La veilleuse jetait des ombres dorées au centre de la chambre. Il aimait ce clair-obscur recelant les connaissances de l'univers enfermées dans ses enveloppes. Il alluma la lampe, enjamba cartons et piles de documents et tira les rideaux. Un jour gris pénétra humblement dans la pièce, mais cela ne l'ennuya pas. Il avait hâte de commencer, sans même prendre le temps de fumer sa pipe. Il était prêt à « entamer le dépouillement de l'humanité », comme il se plaisait à dire. À côté du lavabo, déjà en partie camouflés derrière un tas de papiers, les classeurs neufs luisaient, modernes et métalliques, solides. Il ouvrit les tiroirs du haut, les seuls accessibles, vérifia le bon fonctionnement des glissières et frissonna au son de l'acier poli. Il revint à son bureau, satisfait. Il attendait ce jour depuis si longtemps !

Il sortit de sa poche un *vade-mecum* et l'ouvrit aux pages cornées. Son système de classification s'affichait en toute simplicité. Il y avait travaillé la semaine entière. Pour être sûr de ne pas se tromper, il avait poussé sa recherche jusqu'à rencontrer une bibliothécaire qui lui avait expliqué la méthode utilisée dans les librairies. Peine perdue, cela ne répondait pas à ses besoins, pas plus que celle des hôpitaux. Rien ne correspondait à l'envergure de sa tâche, ce qui l'avait quelque peu énervé. Il lui fallait tout inventer et la mosaïque de couleurs sur les pages donnait une idée du travail gigantesque qu'il entendait accomplir. Il chercha où étendre sa mosaïque, légèrement irrité de n'avoir pas songé à ce détail. Le bureau, envahi d'enveloppes soigneusement disposées par Mme Berthiaume, n'offrait guère de sécurité. Il déchira enfin les pages, trouva du ruban gommé et les colla sur le mur, derrière le bureau. Il contempla avec admiration ses pyramides de couleurs, se félicitant de pouvoir y ajouter autant de sous-catégories et de sections que nécessaire. Les couleurs vives captaient son attention, la retenaient d'aller se balader vers le haut, du côté de la sanguine et de se perdre dans la bouche charnue de la femme à la chevelure rousse. Il avait pensé à tout, croyait-il, content.

Enfin ! il était prêt. À la droite de son bureau l'attendait une première boîte de cinq cents chemises. Il sortit de sa serviette les collants de couleurs sans savoir où les poser, ce qui l'irrita de nouveau. De tels menus pépins, après tant de préparatifs, avaient de quoi éprouver sa patience. Il fut soudain pris de vertige, ne sachant plus par où commencer, les mains pleines d'étiquettes. Debout, devant le miroir au tain brouillé, comme un électrochoc, la perspective de l'échec le secoua. L'épuisa presque. Il déposa ses étiquettes sur la pile d'enveloppes, conscient de l'importance de faire un premier geste, de briser les reins à son anxiété. Fouillant dans sa serviette, il en sortit trois petits cartons blancs identifiés « que ? », « d'où ? » et « où ? » et les inséra dans les rainures des tiroirs du haut de chacun des classeurs. Les lettres en majuscules noires s'imposaient dans l'espace, l'attiraient joyeusement et lui donnèrent du cœur à l'ouvrage. Ah ! ce plaisir qu'il aurait à les alimenter, pensa-t-il, ravigoté.

Il revint à sa table de travail. En toute logique, c'était là où il devait commencer, par ces enveloppes encombrantes. Il ouvrit celle du dessus, en étala le contenu et prit, fébrile, la première feuille. Un article sur la découverte de la pénicilline, en 1928, par *sir* Fleming. Il le lut en diagonale, sans décider où le placer et opta pour une chemise sans étiquette. Au crayon à la mine de plomb, il écrivit « Pénicilline » sur le rebord et déposa le dossier derrière lui, par terre contre le mur. « Ça, c'est intéressant », murmura-t-il en prenant un numéro spécial du *Courrier de l'UNESCO*, consacré à l'Afrique noire. Il feuilleta le cahier, s'attarda aux magnifiques reproductions de masques yoruba, baoulé et dogon, lut les titres, les sous-titres et les bas de vignettes. Il réexamina son plan : le bleu était réservé au « que ? », le rouge au « d'où ? » et le jaune au « où ? ». Chacune des couleurs pouvaient comporter des sous-catégories identifiées par des lettres. Cela donnait : A. : philosophie, B. : morale, C. : culture et D. : divers bleu suivi de E. : histoire, F. : géographie, G. : arts et H. : divers rouge ainsi que I. : sciences, J. : politique, K. : religion et L. : divers jaune. Enfin chacune des sous-catégories se subdivisait elle-même en sections correspondant aux continents, aux pays et aux villes (en lettres minuscules) et aux époques ou aux dates (en chiffres).

Monsieur Pouchkine prenait son temps. Le plan de sa mosaïque lui avait semblé simple d'application, mais il ne fallait pas qu'il se trompe. C'était une tâche ardue, stressante, qui l'avait mené à refuser l'embauche d'étudiantes et l'aide de la jolie bibliothécaire. Il y avait, dans la vie, des choses fondamentales que seul un individu, engageant sa réflexion entière, sa responsabilité et sa sensibilité au monde, pouvait réaliser. La codification de l'information était de ces choses essentielles. Elle déterminait l'œuvre grandiose à naître, d'où la gravité de ses décisions. M. Pouchkine hésitait à classer ce numéro du *Courrier de l'UNESCO* qui chevauchait ses trois grandes catégories et plusieurs sous-catégories. Il lui fallait cependant régler ce problème d'une manière simple. Finalement il prit des étiquettes de chacune des couleurs, les coupa en parts égales et colla un morceau de chaque couleur sur le rebord de la chemise. Il en fut ravi. Cette solution avait le plus bel effet et pouvait servir à plusieurs permutations, si une telle difficulté s'imposait de nouveau. À l'extrême droite, toujours au crayon de plomb, il écrivit « Af. N. » et déposa la chemise contre le mur.

Le troisième article, plus facile à classer mais non à étudier, traitait des conquêtes d'Alexandre le Grand. Il vérifia de nouveau ses catégories et sous-catégories, apposa une étiquette rouge, écrivit « E. Alex. le Grd » au stylo noir. Il réfléchit. La meilleure section, était-ce « a. » pour Asie ou « f. » pour Babylone ? Il opta pour « f. » puisque Babylone était le siège de son empire et lieu de sa mort, et écrivit « 5 » pour identifier la date (Ier siècle après J. C.). Il était satisfait. Son travail donna : Rouge E. Alex. le Grd f. 5. qu'il décoda facilement.

Il rangeait la chemise avec les autres quand il songea aux références. Devait-il compléter les données immédiatement ou se limiter à trier l'information et reprendre les dossiers un à un par la suite ? Cette nouvelle difficulté lui donna chaud. Il avait si hâte de voir tous ces papiers rangés à leur place, à portée de sa main. Il aimait tant ce travail qui lui donnait de grandes joies. Il se revoyait, enfant, à genoux devant les grands casse-tête pour adultes, à classer les bleus avec les bleus, les rouges avec les rouges, les jaunes avec les jaunes, les pièces de contour avec leur semblables. Personne ne pouvait toucher à son jeu ni l'aider à relever le grand défi de reconstituer l'image globale. Il y passait de longues heures, oubliant d'aller dehors par les belles journées de vacances d'été, dévoré par sa passion. Il réfléchissait à mi-voix. « Si je commence à noter les références, je vais surseoir à mon plaisir de voir l'épaisseur des piles diminuer. De plus, rien ne m'indique pour le moment que j'aurai à utiliser cette information. Mais si j'en ai besoin plus tard, il me manquera des renseignements qui m'obligeront à poursuivre ma recherche et je ne serai pas plus avancé. » Il tergiversait. Il avait toujours préféré le tri à la recherche. Coller les étiquettes de couleurs, identifier les sous-catégories lui donnaient le sentiment de bien faire ce qu'il avait à faire, jusqu'à la fin. L'information sur le maelström de l'humanité serait ainsi classée, d'une façon presque définitive, pour sa plus grande satisfaction. Un jour, osait-il espérer, il n'y aurait plus de maelström. Que des certitudes et des faits, répertoriés à tout jamais. Sa décision était prise et il déposa la chemise avec les autres.

La première enveloppe était maintenant vide. Il regarda l'heure à sa montre et sursauta. Le tri de ces trois documents lui avait pris une heure. Il regarda la pièce envahie de papiers et ressentit du découragement. Il se secoua. Une telle lenteur était normale. Ne lui manquait-il pas la connaissance pratique de son système ? Il était grotesque d'évaluer la progression de son travail sans en avoir pris le rythme. En fin de journée ? Là encore, c'était peut-être prématuré. Selon toute vraisemblance, il serait en mesure d'évaluer l'ampleur de son ouvrage après une bonne semaine assidue, se dit-il pour s'encourager.

À 17 h, son bureau était dégagé. Il avait transporté les documents qui bloquaient l'accès au bas des classeurs et il s'amusa à ouvrir et à fermer les tiroirs. Il n'avait pas vu le temps passer, signe indéniable de sa grande concentration. Sur le dessus des classeurs, la vue des deux chemises bourrées d'articles « à chercher » et « divers » l'agaça et il les rangea, temporairement, dans une commode. Il quitta la chambre avec regret, sans un regard pour le portrait au mur. Il avait faim et terriblement hâte au lendemain.

Au bout d'une semaine, il estima qu'en travaillant six heures par jour, il aurait fini le premier tri en quatre mois. C'était irréaliste, il le savait, d'autant plus qu'il ne pouvait désormais s'accorder que deux maigres heures par jour. Cela l'irrita. Imaginer qu'il lui faudrait encore un an le démoralisait. Il lui fallait trouver du temps et se convainquit de réussir en six mois, un délai raisonnable, en travaillant quatre heures par jour de façon intensive. Cette semaine-ci, son esprit avait vagabondé avec trop de facilité. Il avait manqué de rigueur, errant en des méandres où il valait mieux ne pas s'aventurer. Il regarda la chambre, soudain triste. Il pensa fumer mais n'en fit rien. Était-il possible qu'il se trompe ? Qu'il n'ait plus le goût de s'asseoir dans son fauteuil devant la cheminée ? Demain, il apporterait une radio. Voilà, la musique lui manquait. Déjà, enfant, il triait toujours ses casse-tête en écoutant le chant des oiseaux, la fenêtre ouverte. Et l'hiver, la chorale de la famille, sa mère au piano, lui donnait de l'entrain.

XI

La musique couvrait à peine le choc des ustensiles et les bruits de mastication et de déglution des trois mangeurs s'empiffrant au-dessus de leur assiette de porcelaine. C'était insupportable. Tellement que Lucienne n'avait plus d'appétit. Les jeunes allaient bientôt se lever de table, sans sa permission, en la gratifiant du sempiternel : « C'était bon, maman », avant d'aller s'enfermer chacun dans sa chambre. Ils la laisseraient bêtement en tête-à-tête avec Alfred. À le voir pignocher dans son plat, mâchouiller ses aliments machinalement, interminablement. Elle regrettait les années où il prenait à peine le temps de manger avec eux. Les repas en famille étaient courts, parfois drôles et animés des histoires qu'il racontait aux enfants quand ils étaient encore des petits. Par la suite, les soupers étaient ponctués des questions qu'il leur posait avant de s'excuser et de partir sans entendre leurs réponses. Et pourtant, comme elle aurait préféré des repas plus longs, au grand étonnement de Fred qui affirmait, péremptoire, que tous les jours n'étaient pas dimanche.

Elle lui demanda s'il avait eu une bonne journée. Question inutile. Fred ne la voyait pas, mangeait sans faim. Le son de sa voix ne l'avait pas distrait de ses pensées moroses. Il y avait trois semaines qu'elle endurait sa présence lourde et vide. C'était assez, pensa-t-elle.

— Yvette et moi sommes allées au cinéma aujourd'hui, fit-elle pour dire quelque chose. Devine quel film on a vu ?

Sa question ne suscita pas de réactions. Ce silence, ce désintérêt total pour sa personne, ses paroles, ses potins, l'offensait. Fred s'enlisait dans sa torpeur, depuis le départ de Colette sur le même vol qu'un cher ami de Germaine. Fred soupirait. Lucienne aussi. Elle n'aurait jamais cru avoir à vivre la peine d'amour de son mari comme sienne. Son désespoir et son désœuvrement lui faisaient plus de mal que ses liaisons, l'excluaient et l'annihilaient. Chacune de ses paroles tombait mollement et le mutisme de son mari les rendait insipides. Il lui donnait un sentiment de médiocrité et elle en haïssait Colette, incapable de se contenter d'Alfred. Quoi ! Il n'était pas assez bon pour elle ? Elle voulait davantage ? Elle lui remettait un pantin terne et désaxé, une tristesse sans nom, foudroyante, telle qu'elle ne saurait jamais inspirer ? Une bombe à retardement qui pouvait faire éclater son mariage ?

Elle débarrassa la table. Avant la rupture, Fred était d'humeur égale. Il lui parlait peu, mais il avait au moins conscience de sa présence. Il l'écoutait, d'une oreille distraite, soit, mais cela valait mieux que cette longue face blême. Elle commença à rincer la vaisselle, sous le regard morne de Fred, en essayant de faire le moins de bruit possible. S'il fallait qu'il prétexte le tintement d'un verre sur l'évier pour claquer la porte sur sa vie irrespirable. Qu'il réduise en amertume ces années où elle lui avait offert la liberté d'agir à sa guise.

— Y a-t-il encore du café ? demanda Fred d'une voix abattue qui la fit sursauter.

Elle s'empressa de le resservir.

— J'ai décidé... annonça-t-il, poursuivant un monologue intérieur.

Lucienne se figea, cafetière à la main.

— Mais assieds-toi, lui dit-il, étonné de la voir debout, raide droite.

Fred lui parlait en regardant au loin, à travers la fenêtre, sans vraiment s'adresser à elle. Il se disait des choses à haute voix. Il voulait changer de vie, suivre des cours à l'université. La philosophie, l'histoire et la géographie l'intéressaient.

— Et le bureau ? demanda Lucienne, inquiète. Les affaires ?

— Tout va continuer comme avant. J'ai calculé mon temps. Tout est possible. D'ailleurs le bureau peut fonctionner sans ma présence journalière. Il est temps de déléguer des responsabilités que je n'ai plus d'intérêt à assumer. Je peux me fier à Blanche pour l'organisation routinière, la supervision du personnel et des affaires. Il s'agit donc de réaménager mes heures de travail avec efficacité, ce qui me donnera le temps d'étudier.

— Mais les gens ?

— Quelles gens ? demanda-t-il, surpris, la regardant enfin.

— Les amis, les clients, les relations d'affaires. As-tu pensé à leurs réactions ? Qu'ils pourraient te trouver moins fiable ? Qu'est-ce qu'on va leur dire ?

— Bon Dieu, Lucienne, c'est pas un malheur que j'annonce. On leur dira la vérité, que je suis des cours en tant qu'auditeur libre à l'université. Les gens vont bien finir par s'y habituer.

« Cette idée de s'inscrire comme auditeur libre n'est pas bête », pensa Lucienne. Les clients auraient le temps de s'accoutumer à son nouvel engouement sans vraiment le prendre au sérieux. Et si Fred désirait obtenir un diplôme, les gens trouveraient cela peut-être normal. Et s'il changeait de lubie, il n'aurait qu'à mettre sa décision sur le compte du bureau, ce qui devrait rassurer tout le monde.

— Mais si… hasarda Lucienne.

— Tu leur diras que ton mari préfère parfaire ses connaissances plutôt que de jouer au golf, aller à la pêche ou se faire dorer en Floride, grogna-t-il.

— Mais…

— Bon Dieu, Lucienne. Je vais étudier, pas déménager en Afrique !

Il semblait excédé. Lucienne ne comprenait jamais les choses, même les plus simples. Pas étonnant qu'il ait besoin de femmes comme Colette ou Blanche. Elles le comprenaient, savaient le soutenir quand il le fallait et s'abstenir de le déranger au bon moment. Il eut un geste d'impatience. Colette… Il avait mal. Elle l'avait laissé tomber sans un mot, après une petite querelle d'amoureux comme ils en avaient parfois. Une dispute de rien du tout qui n'expliquait pas son comportement puéril. Qui ne justifiait pas l'humiliation de la nouvelle serrure. Elle allait revenir, avait-il pensé, jusqu'au jour où une lettre lui avait été retournée avec la mention « inconnue à cette adresse ». Colette lui manquait. Ses colères et ses baisers, ses rires et ses lèvres lui faisaient cruellement défaut. Il avait songé, un instant, à revenir au bon vieux temps, se faire dorloter par Blanche, mais s'y était refusé. Il avait besoin de Blanche au bureau. Encore que… des souvenirs torrides le faisaient bander. Leurs enlacements et leurs fornications pimentés de la crainte de voir entrer un client, le chemisier échancré de sa secrétaire, sa robe relevée. Ses doigts qui la farfouillaient, le dos contre les classeurs, la tête renversée, qui la malaxaient et l'amenaient à se pencher vers lui, à glisser devant lui. Il se revoyait, l'angoisse au ventre, les yeux rivés sur la porte, jouissant de l'énervement d'être surpris par un client et du savoir-faire de Blanche l'avalant d'une traite.

Fred se leva de table. Lucienne se sentit plus rassurée. Fred ne pensait qu'à réaliser un autre de ses rêves. Elle pouvait toujours justifier son choix en avançant qu'il n'était pas certain d'aimer étudier et que ses obligations et les affaires demeureraient ses réelles préoccupations. Elle n'avait pas de place dans sa nouvelle vie, mais c'était à elle de lui donner une image convenable, d'atténuer les commérages et de se montrer solidaire. Fred sortait de la cuisine quand elle lui annonça que, dans la mesure où cela n'avait pas de conséquences sur le bon fonctionnement de la maison, elle voulait bien le couvrir.

— Me couvrir ! beugla-t-il.

— Montrer que j'appuie ta décision, balbutia-t-elle.

— De ça, j'en suis persuadé, émit-il méchamment. Pour sauver la face, tu es la meilleure épouse... pour autant que l'argent coule, évidemment, ricana-t-il en se sauvant à la salle de bains pour limiter les dégâts.

Lucienne résista à son persiflage. Curieusement, Fred venait de lui confirmer son utilité. Elle avait de nouveau un rôle social à jouer et ce sentiment l'emporta sur son désir de le gifler ou de pleurer. Elle allait désormais afficher une bonne mesure de dépit et de soutien indéfectible. Elle entendit la porte de la salle de bains claquer en même temps que le téléphone sonnait. C'était Germaine. Depuis leur dernier lunch, il y avait un malaise entre elles, mais cela aussi finirait par se tasser, pensa-t-elle.

— Quoi, vous voulez organiser un conseil de famille la semaine prochaine ?

Lucienne fut surprise et songea aussitôt à la santé de la mère, puis à cette dernière rencontre au Ritz et tenta de dissimuler son malaise. De faire la décontractée en demandant combien de temps durerait la réunion.

— Cela dépendra de tout le monde.

— De tout le monde... voyez-vous ça !

— Oui... De toi, de Florence et d'Armande...

Lucienne s'était écriée, estomaquée : « Armande ! » Germaine l'avait bien eue, mais continua, du ton le plus naturel qui soit, à lui expliquer que le vendredi conviendrait mieux à la sœur aînée. Lucienne était décontenancée. Elle se sentait ridicule et ses confidences au Ritz lui faisaient soudain honte. Elle fonça pour alléger son embarras.

— Je croyais que mes histoires ne t'intéressaient pas. Qu'est-ce qui t'a fait changer d'idée ?

— Je n'ai pas changé d'idée. Cela ne m'intéresse toujours pas. C'est la mère qui veut nous réunir. Elle se fait vieille, tu sais. Mais tu es libre de parler de tes préoccupations, à la condition que cela soit clair entre nous. Ce sont les tiennes, pas les miennes.

— Je vois. À vendredi, donc.

— Je passerai te prendre vers 13 h 30...

— Parfait. Les yeux bandés aussi ? demanda-t-elle, furieuse.

— Ce ne sera pas nécessaire. Nous connaissons ta grande discrétion, répondit Germaine du tac au tac.

— C'est ça, ris toujours, la grande, bougonna Lucienne en raccrochant, les jambes flageolantes.

Elle se laissa choir sur la chaise berçante. Un immense vide tonitruant l'encerclait. Il y avait eu la décision de Fred, maintenant sa convocation à la réunion familiale. Bientôt se lèverait son angoisse plus paralysante que les embouteillages du dimanche soir. Armande ! La mère ! Après tant d'années. Ses souvenirs flous d'Armande se télescopaient à son désir de revoir Augustin. Tout se mélangeait. Elle avait de nouveau peur. Des rats, des chiens, des chats, de la noirceur de la ruelle, des voix cachées par les spots de lumière et criant à tue-tête. Les cris sauvages de leur danse autour de l'alambic s'amplifiaient. « Ma recherche d'Hector n'était que fanfaronnade », se dit-elle pour se calmer.

Elle se berçait, affolée à l'idée de revoir le clan, de peut-être avoir à affronter la vérité, soudain saisie à l'idée qu'elle préférait le silence. Elle s'était inventé un courage qu'elle n'avait pas, une enquête par pur plaisir de retrouver l'exaltation du danger. Sa certitude de ne jamais réussir lui avait donné la ferveur nécessaire. Les choses étaient maintenant différentes. La vérité était à bout de bras et sa connaissance l'effrayait à la faire tituber. Elle ne voulait pas avoir à troquer sa quiétude pour une réalité implacable. Elle se maudit, sûre que Germaine avait fidèlement rapporté ses demandes à la mère. « Ne rien brusquer, ne rien changer », scandait-elle en cadence dans sa chaise berçante. Elle avait une semaine de répit, une semaine à se préparer une attitude digne. À se demander comment agir face à ces retrouvailles malvenues.

XII

GERMAINE L'AVAIT PRÉVENUE. Et cependant, malgré tous les détails, Lucienne était renversée. Ce visage plissé aux yeux quasi éteints, ces mains difformes, ces doigts crochus, cette peau grise à fleur d'os : c'était sa mère. Elle la reconnaissait à sa voix claire et encore ferme, à la vivacité de son esprit, aussi sûr qu'un sonar, cette mère qu'elle serrait maladroitement dans ses bras. Les larmes aux yeux, elle tentait d'endiguer les émotions qui déboulaient en elle, pêle-mêle. De refouler sa tristesse et son soulagement devant cette force farouche aujourd'hui amenuisée. Elle s'était imaginé revoir un être hors du commun, sans foi ni loi, et se retrouvait devant une vieillarde fragile, émue et surexcitée, au milieu d'un salon délabré qui lui répugnait. Sous la lumière des abat-jour défraîchis, elle voyait les meubles sombres et ordinaires, carcasses laides rappelant une misère ardemment oubliée. Elle ne se battrait pas pour l'héritage, pensa-t-elle avec dérision.

Sa mère pivota et, de la pénombre, se détacha une forme massive. Armande ! Les deux sœurs s'avancèrent l'une vers l'autre, bras tendus, intimidées. Sa sœur aînée, méconnaissable sous les plis de graisse dure de ses maternités successives, était encore solide. Ses bras, capables de la broyer, l'entouraient, la repoussaient pour mieux la regarder, la plaquaient sur des seins énormes, ponctuant ses gestes de « Lucienne » étouffants de tendresse. Lucienne réagissait mal. Elle se faisait l'effet d'un jouet examiné avant l'achat. Les yeux secs, insensible à ces élans déplacés, elle essayait de cacher son embarras. La solidité d'Armande l'avait toujours désemparée. Son efficacité et son entrain, foudroyée. Elle ne ressentait que rancune pour cette plantureuse étrangère qui affichait son poids avec conviction et bonheur. Aucune phrase ne franchissait sa gorge bloquée par l'écœurement, aucune tendresse n'émanait de ses accolades. Armande reconnut d'emblée son malaise et lui proposa de lui montrer les photos de ses enfants, sans imaginer l'affront qu'elle lui faisait. Lucienne n'avait pas pensé à apporter les siennes. Elle se pencha vers l'album et s'écria :

— Y a-t-il moyen de faire de la lumière pour qu'on y voie clair, ici dedans ? sur un ton agressif qui glaça tout le monde.

— Tu pourras les regarder plus tard, dans la cuisine, lui suggéra Armande. Y a pas de presse. Veux-tu boire quelque chose ? Qu'est-ce que tu aimerais ?

— Du café, s'il y en a, évidemment, sinon...

— Oui, oui, répondit Armande en lui désignant le buffet.

Germaine et Armande s'installèrent près de la mère. Lucienne les entendait s'inquiéter du retard de Florence. Sa tasse à la main, elle chercha où s'asseoir, aperçut la silhouette recroquevillée de sa mère et ressentit une colère amère. Il n'était pas possible que cette vieille rabougrie ait pu à ce point la faire trembler de peur. Qu'elle ait osé la chasser de la maison, que sa perpétuelle obsession de sécurité n'ait abouti qu'à ce logement minable et méprisable. Germaine l'invitait à venir les rejoindre quand Florence entra en criant gaiement : « C'est moi ! » Lucienne la regarda passer des bras de l'une à l'autre. Un simple : « Tiens, Armande, en voyant cette veste, j'ai pensé à toi », suffit à la bouleverser.

Florence l'aperçut et s'avança chaleureusement vers elle.

— À ce que je vois, tout le monde se connaît. Je suis la seule étrangère ici, dit Lucienne avec rage.

Elles la regardèrent, ahuries. Du fond de son fauteuil, la mère répliqua qu'il n'y avait pas d'étrangère, mais que, si elle tenait à se considérer comme telle, il valait mieux qu'elle n'assiste pas au conseil de famille.

— À toi de décider, dit-elle calmement.

Lucienne tentait d'analyser leurs réactions voilées par la lumière tamisée. Elle hésitait, soupesait sa décision. Le ridicule d'un tel conciliabule dans un lieu aussi médiocre cachait quelque chose. La mère, sans doute encore habile à faire des étincelles, ne les avait pas réunies pour rien. Elle répondit d'un ton ferme :

— Je reste.

La mère l'invita à s'asseoir, alors que Florence la saluait poliment.

Les filles entouraient leur mère en silence. Le rituel de la cigarette donnait à leurs retrouvailles une gravité oppressante. Comme jadis, elles attendaient les mots qui décideraient de leur sort. Lucienne se défendait de céder à l'inquiétude, croisait et décroisait ses jambes, impatiente, en route vers l'hystérie si la tension ne baissait pas. À ses côtés, ses sœurs attendaient avec détachement que leur mère écrase son mégot.

— Je vous ai réunies, dit-elle lentement, pour vous distribuer votre héritage.

Sauf Germaine, elles sursautèrent et protestèrent, chacune y allant de ses vœux de santé, alléguant la prématurité à parler de legs. Lucienne ironisa, sous le tollé de ses sœurs :

— Nous n'allons tout de même pas nous disputer les meubles.

Mais son mépris ne sembla pas affecter la mère.

— J'ai établi la part de chacune. Mais pour en prendre possession, vous devez décider qui vous êtes...

— Qu'est-ce que c'est que cette salade? interrompit Lucienne. Encore des manigances?

La mère fit celle qui n'entend rien et demanda à Germaine d'expliquer la situation. D'abord incrédules, puis totalement abasourdies, les filles apprirent l'ampleur des biens de leur mère, la division égale des parts en autant de compagnies et la décision qu'elle leur demandait de prendre. En clair, la mère voulait savoir sous quel nom chacune tenait à voir sa part enregistrée. Les lois tardant à changer, d'expliquer Germaine, les sœurs étaient dans une situation précaire en conservant le nom de Lalonde. Par contre, en mettant les compagnies sous leurs noms véritables, elles n'avaient de comptes à rendre à personne puisque, officiellement, aucune n'était mariée sous ce nom. Le problème, s'il y en avait un, se poserait au moment de leur décès. Enfin, détail important, la mère voulait faire le partage de son vivant, pour éviter qu'elles aient à payer des frais successoraux exorbitants et que sa mort fasse du bruit.

Les sœurs étaient sidérées. Fouillant dans un dossier, Germaine déposa devant Florence et Lucienne leur extrait de baptême. La stupeur se lisait sur leur visage. Ainsi le passé la rejoignait, pensait Lucienne, et se résumait à cette feuille de papier aussi raide et jaunie qu'un papillon de nuit épinglé sur un carton. Elle n'osait y toucher, de crainte de le sentir s'effriter sous ses doigts, tout en se retenant de ne pas le chiffonner entre le pouce et l'index. Les lettres décolorées forçaient son attention, l'obligeaient à se pencher, à mettre son nez dans l'enfilade de ses prénoms et à se cogner sur un nom qui réveillait ses appréhensions. Elle lut: « Marie, Lucienne, Émilienne, Francine, fille d'Auguste Ferrand et de Gatienne... » Elle lisait et relisait ces noms sans parvenir à faire lever le brouillard de sa mémoire, à faire surgir un visage jeune, un rire, une voix, un mot qui lui aurait révélé son père. Elle trébuchait sur l'« Auguste » qui lui rappelait celui qui n'avait pas voulu d'elle. La mère voulait se venger, se dit-elle. Sadiquement, elle cherchait à lui faire du mal sous son apparente générosité.

— À quoi cela rime-t-il, demanda-t-elle en colère. Et pourquoi Armande n'a-t-elle pas de papiers ?

— Parce que j'ai toujours conservé mon nom. C'était plus simple. Et en Ontario...

— Tu as toujours su qui tu étais ?

— Oui... et toi aussi.

— Moi ? Que je te voie te mettre à ma place. Si tu crois pouvoir sortir de l'ombre pour me faire la morale, tu te trompes. Alors, ferme-la.

— Armande peut se la fermer. Nous pouvons toutes nous la fermer, ajouta Germaine froidement. Et toi, tu peux continuer à faire semblant, à t'endormir avec tes cauchemars...

— Tu n'as pas le droit...

— À te faire du cinéma... À te raconter...

— Fais bien attention à ce que tu vas dire, cria Lucienne en se levant.

— Des histoires... À faire semblant. Tout cela ne nous regarde pas dans la mesure où notre sécurité n'est pas mise en jeu. Mais quand, à force de fabuler, tu nous mets en danger, ça devient notre problème à toutes.

La mère les écoutait sans les interrompre. Ses filles étaient grandes et si lasses, se disait-elle. Lucienne était démontée. Elle parlait trop, lançait son venin.

— Vous êtes toutes devenues folles ! Vous voyez des complots partout. Bon sang, réveillez-vous ! Regardez-la, notre mère courage, ratatinée dans un fauteuil défoncé, aveugle au point de ne pas distinguer un portier d'hôtel d'un agent de police. Vous savez ce que c'est que son héritage ? C'est sa peur atavique. De ça, je n'en veux pas.

— De quoi ne veux-tu pas ? De la compagnie ou de la peur ? demanda Germaine.

— Tu ne comprends rien à rien. Vous ne voyez pas que la mère veut encore tout contrôler, nous forcer à agir. Choisir notre identité. Quelle stupidité ! Si elle le pouvait, c'est dans un logis minable, hantées par la crainte d'être découvertes, qu'elle nous maintiendrait.

— T'ai-je forcée à faire quelque chose que tu ne voulais pas ? demanda la mère d'une voix claire et douce.

— Pas directement, non, mais par en dessous, oui. Votre ombre a toujours plané sur nos vies.

— C'est normal, répliqua Florence. Il n'y a pas de drame à faire. Nous sommes toutes marquées par le passé. Mais il s'agit de savoir comment vivre avec lui.

— De beaux discours édifiants, ça, Florence. La mère ne t'a jamais empêchée d'aimer un homme. Et toi, Armande, si je me souviens bien, il a fallu que tu cries bien fort pour l'épouser, ton je-ne-sais-plus-qui.

— Elle ne t'a pas obligée à vivre bêtement avec Fred, à ce que je sache.

— Mais ce n'est pas de Fred dont je parle !

— Château ! Lucienne, s'exclama Florence, moi je ne te suis plus. Es-tu en train de me dire que tu mènes une double vie ?

Mais son ironie fit monter la tension. La voix quasi inaudible de la mère se fit entendre :

— Lucienne fait référence à Augustin Taillefer, dit-elle.

Armande s'était brusquement redressée sur sa chaise et Germaine avait baissé les yeux, alors que Florence s'exclamait « Augustin *who* ? » et que Lucienne répondait :

— Taillefer, es-tu sourde ?

Le silence les enveloppa, plein de mots retenus, de gestes arrêtés, d'allusions sournoises et d'attente intolérable. Le silence amplifiait le malaise. Florence n'y tenait plus.

— Qui est Augustin Taillefer, on peut me le dire?

Sa question provoqua des réactions instantanées à s'en mordre la langue. Germaine, non fumeuse, s'alluma une cigarette; Armande, jetant un bref coup d'œil vers la mère, alla se tenir à ses côtés; et Lucienne, écrasée, boudait ou ravalait ses larmes. Florence s'excusa d'avoir gaffé, allégua que tout cela ne la regardait pas, sans que personne ne relève ses paroles. Un silence interminable ficela leurs pensées.

La mère fit un effort. D'une voix étranglée, comme se parlant à elle-même, elle dit combien elle aurait souhaité ne pas en arriver là et que Lucienne ne connaisse jamais la vérité.

— J'ai toujours su que vous me cachiez quelque chose, dit Lucienne d'un ton cinglant. Que vous vous étiez arrangée pour le faire disparaître, l'Augustin. Vous n'avez jamais voulu que je l'aime, finit-elle par dire en colère.

— C'est vrai. Je ne pouvais pas te laisser l'aimer.

La voix de la mère était cassée. Elle encaissait les reproches de Lucienne:

— Vous avez bousillé ma vie, lui cria-t-elle.

Elle voulait savoir pourquoi la mère avait tout décidé à sa place, l'avait mise à la porte. Elle hurlait, Lucienne, et prévenait la mère de trouver une réponse autre que «c'était pour ton bien, pour ta protection, mon enfant, gnangnangnan». La mère se taisait. Elle cherchait ses mots, comme si elle pouvait faire dévier le couperet de la réalité. Armande lui prit la main, caressa ses cheveux en murmurant:

— Il est l'heure, maman.

Les filles retinrent leur respiration. La mère se décida.

— C'était ton père, Lucienne. Auguste Ferrand dit Taillefer, alias Augustin Taillefer dit l'Augustin.

— Non ! hurla Lucienne. Vous mentez...

Elle s'était précipitée vers la mère. Sans l'intervention d'Armande, elle l'aurait secouée comme une vieille guenille, l'aurait frappée en criant que ce n'était pas vrai. Elle était déchaînée. Elle aurait pu la tuer, mais Armande la retenait solidement. Elles luttaient. Lucienne la mordit au poignet, les dents, pointues et tranchantes, enfoncées dans la peau grasse de sa sœur qui criait de douleur, incapable de libérer son bras des crocs acérés. C'est alors que Germaine l'assomma d'un coup de bottin téléphonique en déclarant sèchement :

— Ça suffit, tu l'as toujours su qui était l'Augustin.

Jamais conseil de famille n'avait été si poignant. Les années de séparation et de silence avaient créé des ressentiments aussi implacables que leurs peurs mortelles, les soirs de grand froid, autour de l'alambic maudit. L'appartement retentissait de pleurs et de chuchotements, de grincements d'armoire et froissements de tissus. Une souffrance en lambeaux, à l'odeur de peroxyde, se distillait dans l'air empoisonné. Germaine veillait la mère, attentive aux soubresauts de Lucienne, hébétée, exhalant autant de haine que de désarroi. Elle éprouvait pour sa sœur de la colère et du mépris. De l'envie, aussi, d'avoir connu le père et de pouvoir mettre des traits sur ce visage à la fois idéalisé et banni. Elle repensait à cette histoire de l'ourson et s'entendit dire, alors que Florence et Armande revenaient au salon :

— Espèce d'hypocrite, tu as toujours su que c'était le père.

La mère ferma les yeux. La pensée que Lucienne jouait à l'inconsciente la torturait depuis longtemps.

Cela signifiait qu'elle était poussée par une haine incommensurable et la mère préférait croire aux capacités de son mari à berner et à manipuler son monde. Lucienne, terrassée par cette nouvelle, avait tressailli à l'accusation de Germaine. En avait-elle eu l'intuition? Elle ne se rappelait aucun indice, voire une déviation dans le comportement de l'Augustin qui aurait pu la mener à douter de lui. À soupçonner sa véritable identité. Elle l'avait tant cherché, ce père. Peut-être aurait-elle pu décoder autrement son vif désir de connaître la mère, ses absences et son mutisme, son refus de s'engager davantage? Elle essayait de réfléchir, de suturer la plaie béante. L'Augustin, l'amour de sa vie, celui qui avait éveillé ses sens, était son propre père, savait qui elle était et s'était joué d'elle! Elle avançait dans une ruelle étroite hérissée de tabous, parsemée d'innombrables fuites et mensonges.

— Non, dit-elle, je ne l'ai jamais deviné. Sinon, l'aurais-je mené si près de nous? demanda-t-elle, implorante.

— Pourquoi pas? C'était une bonne façon de te venger de nos années d'errance, de prendre ta revanche sur ta vie médiocre avec Fred.

— Arrête, Germaine, ordonna la mère. Tu vas trop loin. Lucienne ne pouvait pas savoir à qui elle avait affaire. Même moi, au début, j'ai cru à une coïncidence, d'autant plus que, selon mes renseignements, Augustin vivotait aux États-Unis.

— Si vous n'y croyiez pas, pourquoi ne pas être venue au rendez-vous?

— Des années de méfiance m'ont appris la prudence, affirma la mère.

— Quand l'avez-vous su?

— Au moment où vous avez tourné le coin de la rue.

La mère les revoyait tous les deux se diriger vers la maison. Elle était assise au restaurant, derrière le rideau de dentelle ajourée.

L'Augustin avait sa belle démarche dégingandée, disait-elle comme en se parlant à elle seule. Sa belle gueule sous une casquette mondaine, ses belles mains blanches et fines façonnées pour les caresses. Il était toujours aussi séduisant. Ses rides et ses cheveux blancs lui donnaient un accent de mâle fragilité à faire se pâmer n'importe quelle femme. C'est comme cela qu'il était, l'Auguste. Forgeron par son père, rêveur par sa mère et charmeur par vocation. Un magnifique vaurien, prêt à tout piétiner pour arriver à ses fins et avoir de l'argent. Un sans scrupule avec des rêves pas plus grands ni plus ronds que le pain qu'il désirait avoir tout cuit.

La mère s'était tue. Derrière ses yeux aveugles se succédaient des images que ses filles ne devaient pas connaître. Les bras d'Auguste autour de sa taille, ses baisers fous et ses taloches aux relents de gros gin. Sa vie n'aurait servi à rien si elle ne parvenait à dénouer l'angoisse et la peine qui les tenaillaient. Elle avait réussi à déjouer les hommes et la loi. À ses filles elle avait appris à déguerpir ou à se terrer à la moindre alerte, à refouler leurs peurs et à retenir leurs larmes. Pas à vaincre. Pas à affronter les dangers. Lucienne était la plus démunie. Quand elle l'avait vue, si heureuse auprès de l'Augustin si doux et racoleur, elle avait cru que c'était un châtiment de Dieu. Elle avait voulu courir, hurler, mais son corps était resté figé.

— Je vous imaginais déambulant dans l'appartement, dit-elle un peu péniblement, aller d'une pièce à l'autre à la recherche d'indices. Je le voyais, mon Auguste, déçu, retenant de mauvaise grâce son mépris pour un lieu si misérable, lui si apte à chiffrer et déchiffrer son intérêt.

La mère cessa de nouveau de parler. Absente, torturée par une pensée qui la minait depuis ce jour. Elle se voyait, elle, la mécréante, prier Dieu pour que son Auguste n'abuse pas des sentiments de Lucienne. L'implorant pour que la passion n'ait pas dissous les pudeurs de sa fille. Pas plus aujourd'hui qu'hier elle ne voulait connaître la vérité ni savoir si Lucienne l'avait sciemment fait entrer dans son univers.

— Quel effort pour me dominer j'ai dû faire, poursuivit-elle. Pour te téléphoner, prendre un air naturel. Ne pas te rattraper quand vous êtes ressortis de l'appartement. Toi, si attristée, lui, bouillant d'une rage mal dissimulée.

— Il est parti sans un mot, continua Lucienne. Je ne l'ai jamais revu.

Lucienne pleurait. La mère cherchait comment apaiser la douleur de sa fille. Lui faire accepter l'inacceptable.

— Dieu merci ! dit-elle. C'était le mieux qu'il pouvait faire. Si jamais il t'a aimée un tant soit peu, c'est en partant sans donner d'explications qu'il te l'a montré. Montréal n'était pas une ville sécuritaire pour lui. Il y avait trop de dettes et de créanciers prêts à tout pour se faire rembourser.

La mère jugea bon de clore ainsi son histoire. Elle n'allait pas lui avouer que des hommes fiables s'étaient débrouillés pour qu'il quitte la ville dans le premier train de marchandises en partance pour les États-Unis, amoché et ivre mort. Avec de l'argent plein les poches. Elle préférait lui laisser croire qu'il l'avait abandonnée, plutôt que de la voir s'illusionner sur d'impossibles fibres paternelles. Si la vie arrivait à panser les plaies les plus vives, elle ne guérissait pas la peine d'un amour idéalisé et c'était à Lucienne de choisir.

Les sœurs réfléchissaient. Armande et Lucienne étaient les deux seules à avoir côtoyé le père. Mais alors que Lucienne commençait ses recherches pour retrouver Hector, Armande s'enfuyait dans le sud de l'Ontario avec Lucien. L'oncle les avait aidés à acheter une terre « belle et généreuse comme toi » lui avait-il dit. Florence et Germaine, elles, avaient depuis longtemps fait le deuil du père. Elles ne se demandaient jamais, en dévisageant les passants : « Est-ce lui ? » Florence avait épousé un bon gars, travaillant, encore amoureux du « mystère Florence ». Elle habitait une maison coquette dans l'Est et menait une vie agréable entre son jardin, ses enfants et ses amis. Cette histoire de Lucienne lui donnait un goût amer dans la bouche. Son mari et ses trois garçons ne connaissaient pas son passé houleux et c'était mieux ainsi.

La peine de Lucienne la touchait, mais ses pensées étaient davantage occupées par sa part d'héritage. Les réussites de sa mère l'émouvaient autrement que les échecs du père. Il lui fallait parvenir à justifier un tel bien, sans soulever de questions. Trouver un mensonge plausible. Déjà, elle se voyait en Europe et imaginait son aîné à la tête de la compagnie après ses études.

Ces histoires anciennes l'exaspéraient comme les mauvaises herbes qu'elle arrachait soir et matin dans son potager. Elle regardait le clan, les sillons des visages dissimulant peut-être des racines à extirper avant la propagation du mildiou.

— Puisque nous sommes entourées de fantômes, dit Florence, j'aimerais bien savoir quels cauchemars réveillent encore Lucienne. Les mêmes que ceux qui nous sortaient du lit, enfants, ou d'autres plus épeurants ?

Lucienne refusait de répondre, se braquait dans un mutisme entêté. Mais Florence tenait bon. Les pissenlits étaient les plus difficiles à éradiquer. Leurs racines s'enfonçaient, profondes et droites dans la terre, contaminaient le jardin dès qu'elle lui tournait le dos. Il fallait les avoir à l'œil pour obtenir une belle rocaille fleurie, un potager chargé de légumes sains que ses « hommes » dévoraient avec joie. Non, sa sœur n'allait pas envahir insidieusement son jardin.

— Des rêves qui se rapportent au père ? demanda-t-elle en cherchant réponse auprès de Germaine qui répliqua :

— Ne me regarde pas, ce n'est pas à moi de répondre.

Elles sont coriaces, pensa Florence sur le point d'abandonner. Elle n'allait quand même pas prendre les grands moyens sans savoir ce qui germait dans les profondeurs de la terre. Et si elle n'avait pas affaire à des mauvaises herbes ? Si c'était plutôt des pucerons ou autres insectes nuisibles qui s'apprêtaient à ravager sa propriété ? Comment savoir, sans utiliser du DDT ? « De la mort-aux-rats », pensa-t-elle, surprise. Depuis quand utilise-t-on de tel poison contre les bibites à patates ? À moins que...

— Ce ne serait pas une ruelle pleine de rats, ton cauchemar ? demanda-t-elle sur un ton presque triomphal. La nuit...

— C'est cela, moque-toi...

— Alors, tu fais encore les mêmes rêves. Raconte pour voir s'ils sont semblables.

— Y a rien à raconter. Vous les connaissez déjà. Ou à peu près.

Lucienne implorait Germaine du regard, mais sa sœur resta impassible. Ce peu d'encouragement stimula Florence. Vraiment, sa sœur, la marraine de son Lucien, ne lui faisait guère confiance. Mais Lucienne ne démordait pas et rabroua sa sœur qui lui faisait du chantage.

— Peut-être qu'on pourrait t'aider avec ton « à peu près ».

Lucienne eut un mouvement de colère. Sa sœur l'avait presque piégée. « Tant d'intelligence canalisée dans des chaussons aux pommes du jardin», pensa-t-elle avec méchanceté. Mais Florence puis Armande se mirent à insister. Elle se lança finalement dans la narration de son «à peu près» pour avoir la paix. Sous l'œil vif et complice de Germaine, espérait-elle, elle mélangea les noms, les personnages, une main pour un pied, peut-être une jambette ou un bâillon. Crissements de roues pareils aux sons des rats qui détalent (elle en voulait, elle serait servie...); peur de renverser ses bouteilles de «sirop d'érable», non de fleurs odorantes. Elle disait avec beaucoup de conviction ce qui lui passait par la tête, l'air pénétré d'un enfant à la confesse.

— Ouais, c'est pas mal compliqué ça, déclara Florence. Tu es sûre que c'est un cauchemar?

— Évidemment.

— Y a rien à comprendre...

— Je te l'avais dit que cela n'en valait pas la peine. Que c'était insipide.

Lucienne était soulagée. Sa mère n'avait pas réagi. Le conseil allait prendre fin et elle pourrait enfin rentrer chez elle. Elle respirait plus à l'aise quand Germaine décréta sentencieusement que le rêve n'était pas insipide:

— Tarabiscoté, oui, pour taire l'essentiel. Tu veux que je continue?

— Si tu y tiens. Tu as tant besoin de te donner de l'importance, aujourd'hui.

— En fait, c'est simple. Ce qui taraude Lucienne, c'est l'impression que le soir où nous avons quitté Joliette, quelqu'un l'a bâillonnée pour l'empêcher de prévenir le père de l'arrivée de la police. C'est ça, non?

— En gros, oui. Dans mon rêve, il y a un jeune gars solide qui sent le savon parfumé et qui m'empêche de crier.

— Tu crois que si tu avais crié, le père aurait pu échapper à la police? demanda Armande.

— Oui…

— Et que la famille n'aurait pas été obligée de s'enfuir ?

— Oui. On aurait pu rester à Joliette.

Armande regarda la benjamine avec tristesse. Tant d'années à se sentir coupable de leur errance sans que nulle n'en soupçonne rien. À s'imaginer qu'un cri aurait pu changer leur destinée. Elle se tourna vers la mère.

— Vous n'avez donc jamais rien dit ?

Et elle regarda ses sœurs :

— Vous avez donc tout oublié ? Personne dans cette famille n'a eu le courage de parler de ce qui s'était passé ce soir-là ?

La voix d'Armande s'enflait, devenait aigrelette, aiguë.

— Ce n'est pas possible, cria-t-elle, en frappant le poing sur la table. Plus de trente-cinq ans ont passé et aucune n'a jamais mentionné ce qui était arrivé ? Et vous voilà nanties, dociles et banales. Vous échangez vos recettes le mardi après-midi, admirez vos teintures le vendredi et préparez votre pot-au-feu le dimanche après la messe en famille, convaincues que vous menez la bonne vie. Vous avez effacé ce qui nous a poussées à la rue, pour devenir des servantes, des pleutres préoccupées du temps qu'il fait. Quelle déception ! Dites-moi que je rêve, maman. Que mes sœurs n'ont pas troqué nos luttes et notre travail, nos peurs et nos sueurs contre leurs émissions de télévision, le compte en banque de leur mari, leur ascension sociale. Avons-nous trimé pour en arriver à cela ?

— Ton jugement est bien sévère, Armande, répondit doucement la mère. On ne peut exiger des gens qu'ils soient à notre image. C'est dur, mais c'est ainsi. Tes sœurs sont devenues ce qu'elles sont et nous n'y pouvons rien. Elles ont réagi à leur façon, elles ont tenté de combler le mal qui les érodait en occultant le passé. Déjà, les premières années, elles avaient oublié la nuit de notre départ, rappelle-toi. J'étais même heureuse de voir l'oubli recouvrir notre malheur. Chacune allait survivre avec son potentiel. Je ne suis même pas certaine que le souvenir exact de cette nuit les aurait fait évoluer autrement. Mais si j'avais pu deviner que derrière les cauchemars de Lucienne se cachait cette culpabilité, j'aurais parlé. C'est terrible de voir combien ce silence que je bénissais était mortel.

La mère semblait épuisée et les sœurs, peu disposées à entendre le récit de leur première fuite. Mais elles acceptèrent de l'écouter, pour la dernière fois. L'histoire de la mère recoupait le cauchemar de Lucienne. Alors que celle-ci se dirigeait vers le fond de la ruelle, l'oncle Hector était arrivé pour prévenir la mère que son mari, éméché, venait de parier cinquante dollars qu'il était le maître chez lui. À preuve ? Il ramènerait Armande pour la faire danser à l'hôtel et, moyennant cinq dollars supplémentaires, les gars pourraient la faire tourner dans leurs bras. Combien de tours ? Hector n'avait pas attendu la réponse. La mère avait envoyé ses filles chez la voisine. Il manquait Lucienne. Affolée, elle avait demandé à Hector d'aller la retrouver. S'il fallait qu'elle rencontre son père en chemin !

Auguste, les yeux méchants, titubait, cassait les rares bibelots dans le salon, balayait les lampes du revers de sa main. Il avait attrapé la mère et criait après ses filles. Il demandait Armande. Dans la maison voisine, les filles pouvaient entendre les cris de leur mère et les coups qui lui étaient portés. Armande était revenue à la maison, avait imploré son père et cogné sur lui pour qu'il lâche prise et il l'avait presque renversée, surpris de la trouver là. Il l'avait empoignée par le bras en vociférant « Hue ! la cocotte, en avant », en la tirant comme un cheval rétif.

Armande, projetée à l'avant, trébuchait, se relevait, suppliait le père de cesser de la tirailler. Elle allait le suivre, malgré les supplications de la mère.

Il l'avait traînée à l'hôtel. À l'entrée, son « Eh, qui est-ce qui mène ici ? » avait figé les hommes, les avait dessoûlés d'un coup en voyant l'Armande à Gatienne, tresses défaites, joues égratignées, en pleurs. Le patron avait mis de l'argent dans la main d'Auguste en lui disant de foutre le camp. Il l'avait jeté dehors. « Une gamine de quatorze ans. T'as pas honte, l'Augustin. » Mais le père voulait boire. Le patron entendit les sirènes qui se rapprochaient de l'hôtel et rembarra le père pour qu'il se sauve avant l'arrivée de la police. Il ne voulait pas de problèmes, l'hôtelier. Auguste Ferrand s'était mis à courir. Il tombait, se relevait, retombait, boitait en cherchant une galerie où se cacher, alors que le patron retenait Armande qui voulait l'aider. Il l'avait fait sortir par la porte arrière, lui avait recommandé de rentrer directement à la maison. « C'est mieux pour ton père et pour toi que les policiers ne te prennent pas », lui avait-il dit, et elle avait couru, pendant que, sous la galerie des Dandurand, Hector retenait Lucienne et l'empêchait de crier. Il l'avait ainsi maintenue prisonnière jusqu'à ce que le danger soit écarté. Jusqu'à l'arrestation du père, accroupi entre des poubelles dans une ruelle voisine, et le départ des policiers. Le soir même, la famille avait quitté Joliette et s'était rendue chez des amis de l'oncle. Ils étaient sûrs, mais cacher une mère avec quatre jeunes enfants n'était pas facile. La famille ne passait pas inaperçue. C'était risqué. Et avec un alambic clandestin, c'était dangereux. Impensable.

Au fil du récit, leurs tourments avaient bruyamment refait surface, meurtrissant leur bien-être. Comme à chaque sauve-qui-peut, chacune rapaillait ses souvenirs, les triait au mérite, à l'usage ou à l'émotion. Tri inutile et impossible, soudain conscientes que le poids délesté avait pesé toujours plus lourd que leur bagage.

La mère s'alluma une cigarette. Le craquement bref de l'allumette les tira de leurs pensées en un réflexe déconcertant de soumission. La mère respira une bonne bouffée. La fumée bleue montait dans l'air vicié.

— Votre père, dit-elle, a accusé Hector d'avoir tout manigancé et moi, de l'avoir dénoncé. Il s'est aussi juré de nous retrouver, de m'« arranger le portrait » et de nous faire payer à toutes son arrestation.

Après une courte pause, elle ajouta, en écrasant sa cigarette dans le cendrier :

— Il avait raison, c'est moi qui l'ai dénoncé, quand il est parti avec Armande.

Le conseil de famille était terminé. Chavirées, indécises face à l'identité qu'elles devaient choisir, les sœurs décidèrent de se donner quelque temps avant de discuter des modalités de partage de l'héritage. Elles avaient hâte de retrouver leur vie, de se remplir les poumons d'air frais avant de regagner leur monde imperméable au passé. Elles firent leurs adieux à Armande, qui restait chez la mère jusqu'au lendemain.

Germaine avait démarré rapidement. Doublant les paresseux et les tortues, elle s'engagea sur la Côte-Sainte-Catherine, le pied bien enfoncé sur l'accélérateur. Lucienne n'aimait pas cette façon de conduire, mais elle ne desserra pas les dents. Jusqu'à la porte, les deux sœurs n'échangèrent aucune parole. Germaine stoppa, se retourna vers la benjamine et s'excusa maladroitement de ses propos, mais Lucienne avait déjà claqué la portière et remontait l'allée, sans même un regard à ses haies regorgeant de fruits rouges.

La maison était calme. Elle traversa le couloir et se déshabilla, accrocha sur la porte de sa chambre l'écriteau « S.V.P. Prière de ne pas déranger ». Elle s'enroula dans ses couvertures. « Une vraie momie », prononça-t-elle à mi-voix, en réprimant un « ouf » de bonheur. Qu'elle aimait s'évader dans son sarcophage satiné, en ne se souciant de rien ! Bientôt, l'épuisement et les somnifères allaient effacer de son cerveau l'image lancinante d'Augustin. Relâcher ses nerfs et ses muscles endoloris. Elle dormirait, en paix, engourdirait sa douleur et reprendrait des forces.

Les jeunes étaient entrés dans la chambre. Ils avaient chuchoté des mots si lointains qu'elle n'avait pas remué. À la troisième fois, elle avait remonté la couverture en se tournant, comme on retrousse son col à la brunante, sous le frisson de l'air marin. La plage s'étendait sans fin, jusqu'aux glaciers de l'Antarctique ou la forêt amazonienne. Sans peur, elle marchait.

Plus tard, bien après le départ d'Armande, la mère, main gantée délicatement appuyée sur l'avant-bras d'Hector, lui dirait combien ses filles avaient été admirables. Elles avaient âprement défendu leur fief, maîtrisé leurs angoisses et vaincu le passé. « Maintenant, je peux mourir », lui dirait-elle et Hector, en tapotant doucement sa joue, lui répliquerait, la voix enrouée :

— Ne parle pas de malheur, Gatienne. Nous avons bien du temps devant nous.

XIII

MONSIEUR POUCHKINE PLEURAIT. De vraies larmes, ovales et salées, glissaient sur ses pommettes osseuses et tombaient, drues, sur la table de travail. La chambre était rangée. Sur le divan-lit, une couverture de laine feutrée rouge chinois conservait encore la faible chaleur de son corps émacié. Il regrettait de l'avoir abandonnée en boule à côté des coussins de satin chamoiré. Il frissonna. Le moindre souffle l'atteignait comme une brûlure. Il évalua la distance entre le divan-lit et sa table de travail et se reprocha de ne pas s'être déplacé avec la couverture après sa sieste. Encore une fois, il avait agi sans tenir compte de son handicap et payait le prix de son inconscience. Il tremblota. L'air lui écorchait la peau, lui donnait la chair de poule. Sa chambre lui parut vaste. Pourtant, son espace s'amenuisait de jour en jour. Déjà, il avait cessé de faire le trajet de la porte à la fenêtre et de la fenêtre à sa table de travail. C'était une économie de temps et d'énergie, se mentait-il pour s'encourager. Il avait depuis longtemps délaissé son plaisir de fumer devant la cheminée. Quant à se masturber, il n'en avait plus ni la force ni le goût. C'était d'ailleurs des activités futiles qui lui avaient dévoré bien assez de temps et d'émotions.

Il travaillait à la lumière artificielle, sous un faisceau dont la douceur accentuait la cruauté de sa tâche. Il pleurait, Monsieur Pouchkine, en tenant entre les doigts de sa main gauche un rectangle de carton. De la main droite, il enfonçait fermement son pouce à travers le centre du carton et enlevait la pellicule de son cadre. Sa table était jonchée de bouts de films noirs gondolés et si légers qu'ils s'éparpillaient lorsqu'il respirait trop fort ou éternuait. Les diapositives virevoltaient, s'animaient avant de retomber mourir sur la table, au sol, ou de disparaître sous les fauteuils. Ce chaos formait un contraste morbide avec les cadres patiemment empilés, colonnes fragiles aux entrailles vides, parfaitement inutiles, dont la vue semblait le réconforter. Ces fûts témoignaient de sa capacité encore intacte à trier et à ranger, à mesurer la pertinence de ses centaines de diapositives.

Il saisit une autre diapositive. Le rectangle noir se colorait à l'approche de la lumière, se livrait en toute innocence. Sur fond orangé, une tête de femme, vue de trois quarts, les épaules et les seins nus, le bas du corps coupé par le cadre, regardait directement l'objectif. Le regard au sourire figé, le grain de peau aussi fin que poussière de corail, les seins fermes aux mamelons dressés se prolongeaient dans sa mémoire. Le ramenaient à cet après-midi d'hiver où il avait fait sa série intitulée « Fleurs du Japon », en l'honneur de ce bouquet au premier plan qui donnait de la profondeur à l'image. La sensualité de Colette vibrait dans la lumière, saine, jeune et aguichante. Débordait le cadre de carton, s'étalait, voluptueuse et provocatrice et l'éclaboussait d'émotions violentes. Il enfonça le pouce dans le visage et les seins de la femme, éventra la diapositive. Dans un minuscule bruit sec, le film retomba sur la table, remuant dans un dernier spasme.

Une à une, il regarda les diapositives de la série, souvenirs inertes d'une époque comblée, voyageant dans les plis et replis de Colette, s'engouffrant dans sa toison, buvant sa sève printanière. Les images d'avant l'amour le narguaient par leur insolente lumière, l'impudence du désir installé dans la profondeur des yeux tirant sur le mauve. Photo éblouissante, la main cernant le sein dans un rire éclaté, offrande irrésistible, dernière capture d'une excitation insoutenable. Il lui en avait fait un agrandissement pour qu'elle se rappelle cet instant où il avait basculé dans ses bras, savouré les gestes débridés de l'amour sous les projecteurs. Le pouce enfoncé dans le ventre de la pellicule, il propulsa l'image au-dessus des autres rectangles. Il posa le cadre avec prudence sur une colonne, lentement, comme si ce geste mesuré mettait fin au deuil d'une vie et en diminuait la souffrance cuisante. Il jeta un regard distrait au reste de la série, les diapositives d'après l'amour. La lumière lui paraissait plus molle, le sourire trop apaisé. Le regard et le corps assouvis s'épanouissaient mièvrement dans un cadrage traditionnel. Des photos blasées, repues, sans intérêt et qu'il désencadra avec vivacité.

La crainte de voir s'écrouler ses piliers de carton l'obligea à s'arrêter. Autour de lui gisait sa vie. Aujourd'hui, il s'était attaqué aux photos et aux dessins de Colette. Hier, aux souvenirs d'autres femmes dont la seule présence ranimait cruellement ses rêves et ses ambitions. Demain, la maladie déciderait pour lui. Il n'avait jamais pensé qu'il aurait un jour à trier ainsi sa vie, en examinant ces parcelles de bonheur comme si elles avaient existé en dehors de lui, accessoirement. Il avait cru les mettre à l'abri de sa conscience et de ses sentiments en les rangeant dans ces enveloppes scellées et il s'en voulait de ne pas avoir tout détruit au bon moment, poussé par la colère ou le chagrin. Il n'aurait pas eu à épousseter ces vieux plaisirs, ces joies aussi incandescentes que fugaces et secrètes. Amoindri par le mal, il supprimait ces liens intimes, en sélectionnait les éléments qui pouvaient, décemment, attester de son existence. Tout ce qu'il avait aimé, désiré, créé et collectionné agonisait dans un bruissement de papier glacé ou dans le silence des classeurs.

Il reprit son souffle. Se renversant sur le dossier, il ferma les yeux et s'appliqua à respirer profondément. La prochaine étape lui demanderait beaucoup, et ses forces avaient diminué. Il n'arrivait désormais qu'à couper six pellicules enlacées les unes dans les autres. Muni de ciseaux, il se mit à les tailler en quatre ou en huit et à les laisser choir dans le panier. Les morceaux minuscules chuintaient comme la pluie sur le rebord de sa fenêtre, se mélangeaient aux autres débris, tressaillaient et crissaient sous la poussée de sa main. Il choisit quelques fragments au hasard, les examina à la lumière et redécoupa les images inconvenantes. À la fin, il recouvrit ces bouts de vie du linceul de ses cartons éventrés.

Il se sentit épuisé. Il était 14 h et les déménageurs devaient arriver en fin d'après-midi. Il lui restait si peu de temps, se dit-il en se levant péniblement. Appuyé sur sa canne, il marcha jusqu'au divan-lit, s'empara de sa couverture et se laissa tomber dans le fauteuil devant la cheminée. Tison moribond enveloppé dans une laine rouge, il pleurait devant le tas de cendres. C'était tout ce qui restait de ses lettres d'amour et de ses carnets intimes, de ses dessins et de ses croquis, les siens et ceux de Colette.

Sa chambre avait été son espace de liberté. Le seul lieu où il avait été parfaitement lui-même. Il y avait péniblement admis son peu de talent pour la peinture et le dessin, s'était détourné de ses aspirations poétiques et résolu à faire œuvre historique. À partir de cette masse de documentation glanée depuis l'enfance, il avait commencé la synthèse de l'évolution de l'humanité, noté les faits comme autant d'anecdotes personnelles. Il s'était reconnu dans cet homme du néolithique délaissant la chasse au profit de la domestication des animaux, la chèvre et le mouton tout particulièrement. Ce berger, devenu sédentaire, érigeant des villages et chambardant l'économie de subsistance, passage essentiel à l'éclosion de la civilisation. Il avait suivi son homme à la trace à travers les siècles. Il l'avait vu descendre les plateaux de l'Anatolie, l'avait retrouvé tailleur de pierre à Louxor, avait dépisté sa présence au cœur de la guerre du Péloponnèse aux côtés d'Alcibiade. Il l'avait flairé, chien fidèle, dans les métamorphoses de l'Histoire : guerrier en Asie mineure, Spartiate à l'aube de la démocratie en Grèce, commandant sous Alexandre le Grand, commerçant infatigable dans les gradins des arènes de Rome, Gaulois décharné sous l'invasion barbare des Huns. Il en était là quand la maladie l'avait obligé à abandonner son *Précis d'humanité*. Premier brouillon d'une immense fresque en réponse aux questions éternelles de l'Homme : Que sommes-nous ? D'où venons-nous ? Où allons-nous ? Sa synthèse faisait écho aux hurlements inhumains et à l'effroi sans nom ressenti sur les champs de bataille. À sa rencontre avec l'horreur des hommes, tare immonde inscrite dans l'évolution des civilisations.

Jamais il ne s'était senti aussi utile que dans ses récits épiques et ses fables, mélangeant les réalités, réduisant les hauts faits à des potins dont il tirait des certitudes libératrices et morales. À l'instar de Colette avec ses couleurs, se disait-il parfois, il triturait l'Histoire, mixait les détails, établissait des liens, reprenait des thèmes et créait une œuvre inédite, sa contribution à l'humanité. Sa réponse au chaos dont il décelait partout la présence dans ce Québec quittant ses valeurs pour l'attrait des mythes étrangers.

Sa chambre-cénotaphe se refermait inexorablement sur lui. L'annonce de sa mort prochaine l'avait pris par surprise et il n'était plus certain d'avoir le temps de terminer son œuvre. L'inéluctable l'avait obligé à chercher espoir ailleurs, à fouiller dans ses documents à la recherche des rites qui lui permettraient de continuer. Tant de civilisations avaient eu foi en la réincarnation qu'il en avait retracé les paramètres. Mais il ne voulait pas revenir en chien ou en crocodile. N'était-il pas parvenu à un stade élevé de l'évolution en anéantissant son rapport charnel à la vie ?

Monsieur Pouchkine réfléchissait, feignant l'indifférence et la sagesse, incapable de voir que cette destruction traduisait, mieux que ces milliers de références, son incapacité à se regarder autrement que dans un miroir déformé. Il avait séparé l'inavouable du présentable, le vrai du vrai et la douleur qui l'étreignait garantissait le bien-fondé de son entreprise. Donnait un sens épuré à sa vie. Sinon... sinon ? La question en suspens lui donnait le vertige. Le paralysait.

Un léger toc toc suivi d'un coup plus fort le sortit de ses pensées. Il cria : « J'arrive ! » Du moins pensa-t-il avoir crié en entendant sa voix trouer le silence, et il se leva. Il parcourut la distance du fauteuil à la porte, en calculant machinalement ses pas et se félicita d'en faire autant. Il ouvrit. Mme Berthiaume, esseulée et généreuse, portait un plateau contenant une théière et des biscuits maison « sans beurre », lui précisa-t-elle d'un sourire contrit. Monsieur Pouchkine l'invita à entrer, s'excusa du désordre et se replia vers sa table de travail.

— Vous allez me manquer, lui dit-elle en lui versant du thé. Comprenez. Mon meilleur locataire qui me quitte.

— Moi aussi, madame Berthiaume. Cette chambre était toute ma vie, répondit-il sans prendre conscience qu'il parlait d'un objet, non d'une personne. Mais Mme Berthiaume ne s'en offusqua pas.

— Vous devez en connaître des choses, vous. Un vrai savant que vous êtes, non ?

— On n'a jamais fini d'apprendre, glissa-t-il humblement.

— Vous n'avez pas changé d'avis pour les tableaux, n'est-ce pas ?

— Les tableaux ? Oh non ! Ce qui est promis est promis.

Il voulait se donner l'air enjoué. Après tout, elle était une brave femme, pas enquiquinante. Fiable. Ne s'était-elle pas occupé correctement de son courrier durant toutes ces années ? Elle méritait bien une récompense. Et puis, brûler ou découper les toiles et les dessins accrochés au mur lui aurait arraché le cœur. Comme se tronçonner soi-même. Alors qu'elle les aimait tant. Il lui faisait plaisir en se donnant le plaisir d'être généreux et la chance d'adoucir son sacrifice. Il soupira. La concierge l'assura qu'elle ferait attention à ses œuvres, qu'il n'avait pas à s'inquiéter. Que si elle devait un jour s'en séparer, elle lui promettait de les remettre à quelqu'un qui les aimerait autant que lui. Il lui sourit. Il lui faisait confiance.

Monsieur Pouchkine lui demanda enfin un dernier service. Ramasser et ranger dans la boîte ouverte les menus objets : crayons, ciseaux, cendrier. Une diapositive glissée sous la lampe de bureau attira l'attention de Mme Berthiaume : un bouquet de fleurs sur fond orangé. Elle remit à Monsieur Pouchkine l'image banale dissimulant un homme fou, un amour qu'il soulignait encore par un envoi de fleurs à chaque anniversaire. Sa manière de rester fidèle en toute amitié, disait-il à Colette. Le pouce en l'air, il n'arrivait pas à se décider à arracher les pétales. Il était ridicule de la jeter. « Une photo si ordinaire et insignifiante, si dénuée de sens », se dit-il en mettant dans sa poche ce carré résumant un instant de sa vie.

De nouveau seul dans sa chambre qu'il devait stoïquement abandonner, le peu qui lui restait le forçait à regarder l'avenir. Que de travail avant de présenter son manuscrit à un éditeur sérieux. Il allait s'acharner, profiter de sa période indéterminée de rémission. Les réponses à son angoisse étaient là, cachées au fond d'un tiroir, échelonnées depuis l'aube des temps. Il ne pouvait mourir avant d'avoir trouvé sa trace dans le fouillis de l'Histoire, se disait-il. La réincarnation était un tel coup de dé.

Les déménageurs arrivèrent et dans des bruits sourds, ils ramassèrent ses effets. Mme Berthiaume lui appela un taxi, l'aida à mettre son manteau et à sortir de la chambre. Monsieur Pouchkine admira pour la dernière fois le hall d'entrée majestueux, s'arrêta sur chacune des marches, fatigué. Les grandes glaces ovales lui renvoyaient une silhouette cadavérique, tremblante, appuyée sur une canne tremblotante, un chauve sous un chapeau Stetson, le teint gris jaune, le regard creux au fond d'orbites cernées de noir. Un vieil oripeau hésitant au bord du présent. À contrecœur, il descendit les marches, remercia la concierge de lui tenir gentiment la porte et posa le pied dans ce XXe siècle qui n'avait même pas de remède à son cancer. Il chancela, amer, dans les bras de Mme Berthiaume.

Dans le taxi, une question obsédante le tenaillait: « Ai-je vécu en vain ou par procuration ? » Cette pensée commença à miner son moral. Il lui fallait réagir, trouver une réponse avant l'arrêt du taxi. Il sortit un papier froissé de la poche intérieure de sa veste. « Mon nom pour toi qu'évoque-t-il ? » lut-il à mi-voix. « Il s'évanouira comme le bruit... » Ces rimes de l'autre Pouchkine correspondaient à son âme depuis toujours, depuis la dernière guerre, et l'exprimaient mieux qu'il n'aurait su le faire lui-même. À moins d'avoir déjà été l'autre... Cette pensée le fit tressaillir. La mort n'était peut-être pas si cruelle...

Les déménageurs patientaient, en fumant, assis sur les marches du perron. Cela l'agaça et le soulagea tout à la fois. Leur attente signifiait que son épouse était absente. Il tourna la clef et les fit pénétrer vers l'arrière, dans la pièce jouxtant la cuisine qu'il avait décidé d'aménager en bureau depuis l'annonce de sa maladie. Les hommes adossèrent les classeurs au mur, empilèrent les boîtes sous la fenêtre, en retrait, pour éviter qu'il ne bute contre elles. Il offrit aimablement un verre d'eau aux déménageurs qui repartirent sans plus tarder. Sur la table de la cuisine, une note lui rappelait qu'il y avait un mets pour lui au frigo. « Four : 350 °F ; 20 min. » Le plat lui donna la nausée. Il se sentait trop fatigué pour faire l'effort de manger et cela l'irrita. Dans sa condition, il lui semblait que sa femme aurait pu manifester un peu plus de sympathie et de sollicitude en étant présente. Mais par ailleurs, son absence le libérait de l'obligation de feindre le bonheur de travailler à la maison. Il se dirigea, en titubant, vers la chambre et se glissa tout habillé sous les couvertures, sa canne sur le couvre-lit, à ses côtés. Il avait froid et sommeil.

XIV

LUCIENNE N'AVAIT PAS LE GOÛT DE CUISINER. Encore moins de retourner dans la chambre s'assurer que Fred ne manquait de rien. L'annonce de sa maladie l'avait d'abord choquée, puis profondément ennuyée. Cela l'avait contrainte à couper court à ses activités, à le veiller comme un enfant difficile, à ressentir des sentiments inexprimables. Elle lui avait cédé sa salle de couture pour qu'il y installe son bureau. Devant son cercle de bridge et ses amies, elle jouait à merveille l'impuissance, la résignation et le courage. Elle était bonne et héroïque. À Germaine, elle osait dire que la santé de Fred ne déclinait pas assez vite et que sa mort, un bon débarras, tardait.

Ce qui la tracassait le plus était la douleur physique de son mari. Ses « aïes ! » stridents ou larmoyants à la moindre pression, sa sueur qui trempait son pyjama et ses draps et l'obligeait à faire continuellement la lessive. L'écœurait son odeur aigre-douce de mauvais *chop suey* imprégnant les pièces de la maison, tenace et infecte malgré l'aération. La maladie suivait son cours, disait le médecin, comme en parlant d'un navire cabotant vers sa destination. Fred sortait d'une période de rémission et nul ne pouvait prédire l'issue de son combat. Les statistiques ? De simples agents indicateurs. Tout dépendait de Fred, de son courage à poursuivre la lutte, de sa volonté de vaincre et de vivre. Des encouragements et des soins qu'elle lui prodiguerait.

Mais d'encouragements, Lucienne n'en avait pas à donner. Elle comptait sur les enfants pour suppléer à son manque de tendresse et d'affection. Elle avait trop à faire. Elle acceptait volontiers les marques de sympathie, se préparait à se résigner, à prévoir le pire, comme on lui disait dans son entourage. « Le plus vite sera le mieux, il souffre tant », lui disait-on, alors qu'elle espérait maintenant que Fred dure encore. Le jour où le médecin lui déclara sans ambages que Fred serait mieux à l'hôpital, oh ! pas aujourd'hui, mais c'était à envisager dans de brefs délais, Lucienne pleura comme il sied à une bonne épouse. Elle devait d'abord en parler à Fred, lui qui avait toujours souhaité mourir dans son bureau. Elle allait lui présenter la chose comme une visite médicale de routine, l'après-midi même.

Le temps était chaud malgré ce novembre pluvieux. Fred somnolait et grelottait dans ses draps mouillés. Lucienne entra sans bruit dans la chambre, s'assit pesamment sur le bord du lit et appela Fred d'une voix tiède. Il ouvrit les yeux. À son regard voilé, aux abois, elle comprit qu'il avait toute sa lucidité et s'en réjouit. Elle ouvrit la grande enveloppe brune qu'elle tenait dans ses mains et en sortit un document. Les yeux de Fred dénotaient la stupeur. Elle lui sourit et commença à lui faire gentiment la lecture.

— *Précis d'humanité*, par Alexandre Pouchkine (pseudonyme d'Alfred Chaput).

Elle sauta la table des matières et continua, à haute voix :

— Préface. « Ce livre est l'œuvre de ma vie. Je l'ai commencé voilà bien longtemps, alors que je transportais dans ma valise en toile brune, à mon retour d'Europe, ces bouts de papier sur lesquels je griffonnais mes pensées (c'était la guerre, le papier était rare) ou encore ces croquis que je dessinais ou ces coupures de journaux parlant d'une guerre que je ne reconnaissais pas et à laquelle j'avais pourtant donné quatre années de ma vie. »

Lucienne baissa la feuille sur ses genoux, regarda la supplication dans les yeux de Fred et lui dit :

— Ouf ! la phrase est mal foutue, Fred. Trop longue.

Elle reprit la lecture.

— « Ce livre se veut une réponse positive et enthousiaste à l'angoisse des jeunes d'aujourd'hui. » Tiens, tu connais les jeunes, Fred ? Les tiens ou ceux des autres ?

Elle poursuivit.

— « Quand la nuit, il... » Qui, il ? Il aurait fallu mettre le pluriel, Fred, si tu parles encore des jeunes. Bon je recommence. « Quand la nuit, il regarde le ciel étoilé à la recherche de la Grande Ourse, de l'étoile Polaire ou de la constellation d'Orion ("Orion : Constellation de la zone équatoriale. Voir aussi : Nébuleuse d'Orion : nébuleuse galactique s'étalant dans l'Épée d'Orion, filet lumineux formé de trois étoiles très rapprochées au-dessus du Baudrier d'Orion constitué par trois étoiles placées au milieu en ligne oblique." Aussi, "Orion : Géant mythique, chasseur grec renommé d'une grande beauté." Réf. Le Robert). » C'est une remarquable synthèse, Fred. D'un intérêt absolu et d'un style certain. Les jeunes ne savent vraiment pas ce qu'ils perdent, lui dit-elle en déchirant les pages.

Fred était affolé. Son bras décharné tentait de s'emparer du manuscrit. Il marmonnait, l'implorait de lui remettre le tout, de ne pas détruire son œuvre, mais Lucienne n'écoutait pas. Elle n'était pas folle de rage, simplement glaciale et décidée. Elle reprit la lecture.

— « Ce livre est tout ce qui me reste de ma vie. » Là Fred, tu fais plaisir à Édouard et à Francine. Aux amis aussi. Enfin, je continue. « Je l'ai commencé, alors que la santé et ma jeunesse me donnaient l'illusion d'avoir tout l'avenir devant moi, et l'ai continué, vieux et malade, alors que je n'avais plus d'avenir. Mais la maladie est porteuse d'espérance et d'espoir que je voudrais insuffler aux jeunes. L'espoir d'une autre vie meilleure où la réalisation de soi serait possible, où la vie recommencerait où elle s'est temporairement arrêtée. » Tiens, tu es encore en train de rêver et de remettre à plus tard, Fred ? « Sans réincarnation, l'humanité n'est pas possible. Sans elle, mon *Précis* ne sera à jamais qu'une symphonie inachevée, une œuvre à naître, commencée le jour de ma mort, le 10 avril 1946, à mon retour d'Europe. »

Lucienne s'arrêta de lire, se pencha vers son mari.

— Fred, vraiment, j'ignorais que tu pouvais dire autant d'inepties. Nous faire la morale et nous menacer de revenir sur terre en plus. Non mais Alfred, à ta façon malhabile d'écrire et de dire, on devine à peine ta pensée. De quoi décourager les jeunes. Te rends-tu compte du mauvais service que tu leurs rends ? lui dit-elle en déchirant les pages.

Elle continua ainsi, lisant en diagonale :

— Trop de répétitions oiseuses. Que de coq-à-l'âne ! Encore Assurbanipal ! Attends que je vérifie. Tu en parles à cinq pages différentes. Ici, ici, oui, là et… Bon Dieu, Fred, quel manque de rigueur ! Quel mélange de références, ce saupoudrage de renseignements : un petit peu par-ci, un petit peu par-là, et hop ! on revient ici, on repart là. Heureusement que tu peux compter sur moi, dit-elle en chiffonnant les feuilles, très lentement, en regardant le désespoir gagner son mari.

— Assez de lecture pour aujourd'hui, décréta-t-elle. Cela te fatigue trop et tu connais les recommandations du médecin.

Fred, dans un effort surhumain, essaya d'attraper le manuscrit, haleta :

— Donne-moi ça.

Lucienne l'ignora et quitta, souveraine, la chambre.

Le corps broyé par la douleur, Fred ressentait un désespoir plus mortel que sa souffrance physique. Il aurait voulu se lever, arracher des mains impies son manuscrit, sauvegarder intacte l'ambition de sa vie. Sa grande passion qu'il espérait voir publiée même inachevée. Sa longue quête à travers les siècles avait un sens, lui prouvait, hors de tout doute, qu'il n'avait pas vécu en vain. Il approchait de la mort, les bras chargés de références historiques, butin dérobé à ces centaines de livres rapidement lus et aux pages déchirées pour être glissées dans ses chemises, aux articles de revues ou de magazines, photocopiés après avoir été découpés dans les salles d'attente ou dans les halls d'entrée chez des amis. Il voulait se lever. Il fallait que ce manuscrit lui survive, témoigne de son passage sur terre, incite les jeunes à aimer l'Histoire et confirme qu'il n'avait pas raté sa vie. Lucienne ne pouvait comprendre l'importance capitale de son travail intellectuel. Elle n'avait jamais rien compris à ses rêves et à ses ambitions. Ce manuscrit, c'était plus qu'un dictionnaire, plus qu'une encyclopédie ou une histoire universelle. La transmutation du maelström de la condition humaine en une prairie verdoyante et pacifiée. Son errance depuis l'époque néolithique. L'apologie des certitudes enfin trouvées.

La douleur le paralysait, lui transperçait les os. L'empêchait de bouger. Des milliers de dards acérés pénétraient sa chair. Il se faisait l'effet d'être un passage clouté sur lequel défilent des chars d'assaut le jour du Souvenir. Lucienne aurait dû lui donner ses médicaments, mais il ne se décidait pas à l'appeler. Quand il lui avait annoncé que son cancer pouvait s'étendre à sa moelle épinière, elle lui avait rétorqué, compatissante: «Comment cela se peut-il, tu n'as jamais eu d'épine dorsale!» Non, il ne pouvait se résoudre à l'appeler et se retourna, étendit son bras vers les capsules de toutes les couleurs et le verre d'eau. Il avait trop mal pour la supplier.

Lucienne l'entendit prendre ses médicaments. Son cœur palpitait furieusement. Elle se tenait la tête, les coudes appuyés sur la table de la cuisine, à la fois horrifiée et heureuse. Fred allait payer, s'était-elle dit le jour où elle avait connu son autre identité. Une lettre envoyée par une certaine Mme Berthiaume à Blanche qui l'avait retournée à Fred. Un hasard qui avait tout bouleversé. L'enveloppe contenait un poème que la Mme Berthiaume avait «trouvé dans l'armoire sous le lavabo» (quel endroit délicat!), quelques pellicules de diapositives, franchement explicites, ramassées sous les fauteuils, et une note rappelant le bonheur qu'elle avait eu à le connaître suivie de vœux de santé. Lucienne s'était rendue chez Mme Berthiaume, avait discrètement fait enquête. La concierge, heureuse de rencontrer une amie de Monsieur Pouchkine, lui avait abondamment parlé de lui. Elle lui avait montré les toiles qu'il lui avait laissées, en lui confiant:

— Vous comprenez... Un célibataire comme lui. Sans femme. Sans enfant. Et malade. C'est triste la vie...

Des peintures et des dessins de Colette. Une sanguine de Colette, signée Fred, l'avait laissée sans voix, bouche bée, les yeux écarquillés, alors que la brave concierge lui racontait que c'était pitié tout ce qu'il avait détruit avant de partir.

Lucienne s'était maîtrisée, avait expliqué sa stupéfaction devant le dessin, en laissant croire que c'était le portrait d'une amie. Elle était retournée trois fois chez

Mme Berthiaume, mais celle-ci semblait maintenant lasse de lui parler de son locataire préféré. La vie était dure, les gens, de plus en plus bruyants. De mauvaises odeurs se répandaient dans la maison, flottaient au-dessus de ses poudres à récurer si puissantes. À sa dernière visite, Lucienne s'était montrée compréhensive, avait habilement déposé une liasse de billets. Une somme à laquelle la concierge n'aurait jamais pensé. Mais comme lui disait si bien cette femme distinguée, c'était le portrait d'une amie très chère, hélas décédée. Là était la valeur du tableau, parce que « entre vous et moi, l'artiste manquait de pratique ».

Le choc de la double vie de Fred l'avait laissée froide de rage, humiliée comme seul son Augustin avait pu le faire. Mais elle était descendue trop bas, à la suite du conseil de famille, pour se permettre d'avoir une dépression nerveuse. Elle remontait la pente quand Monsieur Pouchkine l'avait heurtée. Fred, enfermé dans son bureau à côté de la cuisine, ne s'était rendu compte de rien, tout occupé à son écriture. Cette fausse identité de Fred la rabaissait plus que toutes ses liaisons et ses lubies. Elle avait tout accepté de Fred et voilà que pendant vingt ans, il avait franchi cette porte en effaçant son monde. Elle, les enfants, ses affaires. Elle n'était même plus un prétexte pour se déprendre de situations désagréables, une épouse incompréhensive et intouchable à brandir aux maîtresses exigeantes, un alibi à ses frasques, un bouc-émissaire, une mégère, une femme frigide, une bonne cuisinière. Rien. Elle n'avait pas plus d'existence pour lui qu'elle n'en avait eu pour l'Augustin. Ni femme, ni fille, ni épouse, ni mère.

Sa rencontre avec Monsieur Pouchkine ouvrait un abîme démentiel. Elle avait lutté, comme le jour du conseil de famille, pour sauvegarder sa raison. Pour respirer sans se brûler les poumons. Marcher sans se casser les reins. Elle s'était forcée à rire sans éclater en larmes de colère, à parler sans dévoiler son secret. Elle avait attendu que s'achève cette interminable période de rémission. Quand, enfin, la santé de Fred avait recommencé à se détériorer, elle avait accueilli la nouvelle avec joie. Comme un baume sur une blessure purulente. Patiemment, elle avait fouillé son bureau quand il était alité ou endormi. Et trouvé son manuscrit de trois cents pages accompagné d'une lettre de Colette. Elle lui recommandait de le réécrire, de tout restructurer, de supprimer ces trop nombreuses répétitions qui donnaient à son travail un air de *patch work* bâclé. Elle lui suggérait d'essayer de cerner l'essentiel de son propos, de cesser de se promener par monts et par vaux sur des phrases alambiquées et des anglicismes soulignés en rouge. Les commentaires de Colette l'avaient sidérée. L'œuvre de son mari valait peu de choses à ses yeux. Lucienne avait alors ressenti une émotion forte, étrangement cruelle, qui lui faisait du bien. Fred allait payer, pour Monsieur Pouchkine et pour l'Augustin.

La tête dans ses mains, elle savourait maintenant son bonheur. Elle n'était plus une quantité négligeable pour Fred. Jusqu'à la fin, il aurait mal, la supplierait, plus désespéré par la perte de son manuscrit que par sa mort imminente. Elle allait réduire à néant son ambition et ses rêves, ces bouts de papiers grâce auxquels il avait traversé sa vie et sa période de rémission en parfait sauvage, le cœur et l'esprit tendus vers sa passion, forçant la famille à s'accommoder à son rythme de moine solitaire, sans bruit, sans relations cordiales. Elle avait jour après jour espéré ce moment où il serait trop faible pour réagir, trop lucide pour ne pas saigner. Elle allait lui retirer une à une ses raisons de vivre, un à un, ses espoirs. Elle allait l'imiter et faire uniquement ce qui lui plaisait, comme il lui plairait. Elle allait l'anéantir. Une joie insoutenable, proche de la peur exaltante qui lui collait aux semelles les soirs de livraison, la submergeait.

De la chambre venait un sifflement rauque. Elle eut peur. Fred n'allait pas mourir tout de suite, sa joie à peine entamée. Elle en était là de ses réflexions quand sa fille la surprit, un peu perdue et angoissée. Lucienne lui expliqua les recommandations du médecin, son hésitation, sa difficulté à juger de la situation. Francine se rendit au chevet de son père, lui parla doucement, mais ne put en tirer que des « non, pas ça ». Elle suggéra, pour le grand bonheur de Lucienne, d'attendre quelques jours. Le lendemain et le surlendemain, Lucienne continua à faire paisiblement la lecture à son Fred, à déchirer le manuscrit avec des remarques acerbes, en le regardant sombrer.

La journée où il devait être hospitalisé, elle entra gaiement dans sa chambre et déroula la sanguine devant les yeux de son mari. « Colette », crut-elle entendre. « Salaud ! » dit-elle en roulant précipitamment le dessin. Ses yeux avaient reflété une grande tendresse mêlée à son angoisse. Presque de la joie aussi dans sa supplique. Elle s'en voulait de lui avoir montré le portrait. Fred ne devait pas mourir heureux, en pensant à une autre femme. Il n'allait penser qu'à elle, enfin, quitte à mourir en la maudissant. Elle était son épouse, Mme Alfred Chaput née Lucienne Lalonde.

□

Les soins à l'hôpital semblaient faire du bien à Fred qui prenait des couleurs. Lucienne s'affola. Les médecins avaient proposé un autre traitement qu'il avait accepté. Il avait le moral, son mari, et il luttait. Fred pouvait lui échapper et elle eut peur. S'il fallait qu'il guérisse ! Elle était désemparée.

Un matin, en arrivant, elle l'embrassa chaleureusement. Il s'éveilla. De sa voix la plus encourageante, elle lui dit :

— Je suis rendue à la page cent quarante-cinq. Il y a encore beaucoup de travail à faire. La poubelle est pleine, mais tu peux compter sur moi.

Fred la supplia, grommela de ne pas tout détruire, de laisser à d'autres le soin d'améliorer son œuvre.

— Tu as nommé quelqu'un par testament ? s'enquit-elle, alarmée.

Fred se fit évasif. Lucienne n'avait pas pensé à cette éventualité. Elle avait le sentiment que Fred se jouait d'elle. Elle quitta précipitamment l'hôpital et retourna à la maison allumer le feu dans l'âtre et y jeter le manuscrit.

Le soir, quand elle fut seule avec Fred après le départ des enfants, elle sortit un bocal en verre plein de cendres.

— Je n'ai pas tout mis, s'excusa-t-elle. Il m'aurait fallu un pot plus grand, pas une chaudière comme celle qu'a utilisée Mme Berthiaume pour vider ta cheminée, mais quand même.

Son visage creux, couleur de cire d'abeille usée, frémit. Son regard flottait au loin, sans la voir. Elle l'appela doucement, lui prit tendrement les mains. Fred eut un léger tressaillement et repoussa sa main. Elle était fâchée. Fred n'allait pas entrer ainsi dans le coma sans savoir. Sa vengeance ne lui procurerait donc pas ce frisson merveilleux qu'elle avait ressenti dans la cuisine ? Fred lui échappait trop vite. Elle regrettait de ne pas avoir commencé plus tôt. Elle l'appela de nouveau. Lui reprit la main, tourna son visage vers elle. Fred se détourna, en gémissant.

Il mourut quatre jours plus tard. Dans la paix comateuse de l'esprit, par un jour pluvieux de novembre, entouré de sa femme et de ses enfants éplorés.

Lucienne communiqua avec le notaire et eut la surprise d'apprendre que son mari avait tout planifié : ses vêtements pour le jour de son enterrement, le chant à l'église et le bouquet d'oiseaux du paradis devant le cercueil. Même les bouchées pour le repas après ses funérailles étaient détaillées. À son grand étonnement, le testament ne mentionnait pas le manuscrit. Mais Fred avait expressément demandé que ses funérailles aient lieu le 10 avril suivant son décès. C'était grotesque. Il devait y avoir erreur, avait-elle dit. Mais de l'avis du notaire, son mari était sain de corps et d'esprit quand il avait signé le document, à l'hôpital, quelques jours auparavant. Les témoins, un médecin et une infirmière, pouvaient le confirmer. Lucienne n'avait plus rien à faire qu'attendre le printemps, absolument inutile et dénuée de tout rôle social.

Montréal, mai 1997

CET OUVRAGE
COMPOSÉ EN GALLIARD CORPS 12 SUR 14
A ÉTÉ ACHEVÉ D'IMPRIMER
LE NEUF SEPTEMBRE MIL NEUF CENT QUATRE-VINGT-DIX-SEPT
PAR LES TRAVAILLEURS ET TRAVAILLEUSES
DES PRESSES DE L'IMPRIMERIE
MARQUIS-AGMV
À CAP-SAINT-IGNACE
POUR LE COMPTE DE
LANCTÔT ÉDITEUR.

IMPRIMÉ AU QUÉBEC (CANADA)